FUEGIA

DU MÊME AUTEUR

Fuegia, Actes Sud, 1997.
Le Naufragé des étoiles, Actes Sud, 1998.
Fréquence Miami, Actes Sud, 2007.

Nous remercions André de Los Santos
qui est à l'origine de l'édition française de *Fuegia*.

Titre original :
Fuegia
© Eduardo Belgrano Rawson, 1991, 1999 ;
Editorial Planeta Argentina SAIC, 1999 ;
représentés par Dr Ray-Güde Mertin,
Literarische Agentur, Bad Homburg, Allemagne

© ACTES SUD, 1997
pour la traduction française
ISBN 978-2-7427-6810-3

Photographie de couverture :
Yaélénghou Kippa portant un enfant
Cliché de la mission scientifique du cap Horn
© Musée de l'Homme, Paris, 2007

EDUARDO BELGRANO RAWSON

FUEGIA

roman traduit de l'espagnol (Argentine)
par François Maspero

BABEL

A ma femme.
A mes filles.

A la mémoire de Fuegia Basket,
Jemmy Button, York Minster
et Boat Memory, qui ont fait jadis
le voyage d'Angleterre.

Ils savaient les points cardinaux,
les saisons de l'année,
que la Lune voyage autour de la Terre
et que celle-ci tourne autour du Soleil.
Que l'Amérique est dans ce monde,
et que l'Argentine est un pays américain,
que c'était une république
et qu'ils étaient argentins.

EDUARDO A. HOLMBERG

LA SCÈNE

Elizabeth Dobson

L'ÎLE DES GUANACOS

L'hiver ils descendaient vers la mer. Ils arrivaient de la montagne affamés et, avant de dépasser les derniers arbres, ils contemplaient un long moment de leurs yeux brillants l'obscurité de la côte. La plage était invariablement vide, mais les guanacos avaient bonne mémoire et ne risquaient un pas sur le sable que lorsque le soleil était entièrement sorti et avait dissipé la brume.

Il arrivait alors aux guanacos de buter sur un cachalot échoué ou sur un renard mangeur de moules, mais ils n'y prêtaient pas davantage attention qu'au vol des pétrels ou à la fumée d'un bateau. Les bateaux se maintenaient à distance, car il était fréquent que l'île soit soudain balayée par les bourrasques précédant les orages. Ses eaux avaient mauvaise réputation et personne, à l'exception des Anglais, ne connaissait avec certitude l'emplacement des navires engloutis comme le *Flying Aberdeen*, ni la véritable profondeur du banc de Punta Salida, ni même si ce banc existait vraiment. Dans tous les cas, parvenus à un certain point, les bateaux exécutaient une manœuvre prudente pour reprendre du large, comme si le banc était bien là.

La présence des guanacos durait peu de temps car, dans le passé, c'était sur cette plage que s'étaient produites leurs pires rencontres avec les Canaliens. Ils pâturaient un temps sur la côte, buvaient l'eau salée, tout en surveillant leur progéniture prompte à s'éloigner du troupeau. Puis ils s'enfonçaient discrètement dans le bois. Il était alors difficile de les trouver, même si, la nuit, on entendait leurs ricanements. On pouvait les imaginer serrant leurs rangs sous la neige jusqu'à ce que le froid finisse par les faire taire. Ensuite ils ne donnaient plus signe de vie, mais sous les arbres subsistait la terreur qu'ils venaient d'éprouver.

Quand un bateau faisait naufrage dans ces eaux, il n'y avait pratiquement jamais de survivants. Régulièrement, un noyé blanc arrivait sur la plage. Un noyé blanc, c'était quelqu'un qui avait été foudroyé par une syncope en tombant dans l'eau glacée sans parvenir à prononcer un mot ni à esquisser un pauvre mouvement de brasse. Il y avait aussi des noyés bleus, mais les plus fréquents étaient les noyés blancs. Ces gens avaient un aspect horrible et ne ressemblaient en rien au commun des noyés.

De toute manière, le *South America Pilot* ne lésinait pas sur les conseils en cas de naufrage et proposait tous les itinéraires possibles pour arriver jusqu'à Abingdon. Au temps du vieux Dobson, la mission avait compté parfois plus de deux cents ouailles, provenant de tout l'archipel. D'après le *Pilot* les missionnaires réussissaient des miracles avec ces créatures. Il fallait seulement prêter attention à un détail : seuls les Canaliens convertis possédaient ce papier délivré par la mission que l'on appelait attestation de connaissance.

Mais la dernière édition du *Pilot* datait de 1902 et, aujourd'hui, les Canaliens étaient sur le point d'être rayés de la carte. La mission n'abritait plus que la veuve de Dobson qui, depuis que les Canaliens avaient disparu, vivait dans l'attente d'un miracle qui la retiendrait encore sur cette terre. Chaque bateau qui passait en direction de l'est faisait renaître en elle sa décision de partir. La veuve braquait sa longue-vue sur la coque. Si le bateau était argentin ou chilien, elle hissait au mât de la mission le pavillon correspondant ; quand il s'agissait d'un Anglais, elle déployait son propre drapeau et le montait en priant pour que le bateau stoppe ses machines et amène un changement dans sa vie.

Souvent, elle rêvait de la visite de l'archevêque de l'Amérique du Sud. Elle n'avait pas l'honneur de le connaître mais elle se le représentait toujours majestueux et affable, vaguement identique au facteur de son village. Elle avait perfectionné ce rêve jusqu'à le transformer en une scène grandiose : l'archevêque arrivait à la mission pour restaurer l'Evangile et débarquait du bateau dans un coucher de soleil inoubliable. Des moutons paissaient sur le rivage, le sol fourmillait de pâquerettes et des bandes d'oiseaux gazouillaient dans les arbres. Du bosquet lui parvenaient les cris de ses neveux de Londres qui jouaient au cricket en balançant de terribles coups de batte.

Le décor restait aussi accueillant qu'au temps de Dobson, mais les bateaux ne s'arrêtaient plus jamais. Pourtant la mission conservait ses attributs intacts : un foyer allumé depuis toujours, des vaches dans leur enclos, un mât peint en rouge, les bordures de géraniums, une odeur de café qui se répandait jusqu'au môle. Vue du pont d'un navire, on pouvait la confondre avec un paysage irlandais et c'était une tentation pour tout le monde.

La nuit, la lumière restait allumée tard. Il n'était pas difficile d'imaginer la veuve en train de préparer de la gelée ou de réviser la traduction du Nouveau Testament en canalien. Les visites étaient rares. Peu de capitaines se montraient disposés à subir une veillée en compagnie de la veuve et de sa liqueur écœurante, et à faire éternellement semblant de croire que le révérend avait succombé au cours d'une mission pastorale et non entre les cuisses de son ouaille favorite.

Du vivant du révérend, son comportement scandaleux était la fable de toute la côte. Les bateaux s'annonçaient à grands coups de sirène qui retentissaient comme un hommage aux prouesses du pasteur. La plage se couvrait de Canoeros en fête et le révérend courait au môle avec un sourire qui découvrait ses dents. Cette conduite des capitaines contrastait avec le timide appel qu'ils lançaient aujourd'hui en doublant la pointe Charles et qui atteignait le cœur de la veuve comme une preuve supplémentaire de la duplicité des hommes et de leur manque de préparation à la mort. Elle aurait voulu que les bateaux changent d'itinéraire, car ils lui gâchaient ses souvenirs. Quoi qu'il en soit, elle était résolue à lutter contre les médisances des étrangers. Elle avait juré que ces saluts hypocrites ne parviendraient jamais à ternir son trésor : la mémoire des jours où Dobson et elle pique-niquaient dans Saint James Park et dessinaient la mission promise sur le papier des petits pains.

On lui demandait régulièrement ce qu'elle attendait pour partir. C'est ce que fit le capitaine du *Spectre* une nuit d'hiver. Il connaissait par cœur tous les arguments de la veuve pour ajourner son départ et il connaissait aussi la fameuse vision de l'archevêque. Il aurait bu quelques verres de moins qu'il n'en aurait pas parlé. Mais on était en août et les ombres du soir soulignaient à quel point Abingdon était condamné à être abandonné. Le capitaine était descendu de son bateau bien imbibé, plus convaincu que jamais de sa vocation de servir et prêt au sauvetage. Les Canaliens brillaient par leur absence. On n'apercevait même pas ces épouvantails du Pays des Pluies Perpétuelles, les seuls êtres à fréquenter encore les canaux de l'archipel et qui arrivaient toujours à la mission poussés par la misère.

La veuve le reçut avec le sourire, loin de supposer qu'à dater de cette nuit le capitaine du *Spectre* irait grossir la liste des visiteurs indésirables. Elle déboucha une bouteille de prunelle, sans imaginer que ses hésitations quant à un retour possible en Angleterre allaient vite disparaître. De quoi parlèrent-ils cette nuit-là ? Le lendemain, le capitaine ne se rappelait pas un seul mot. Mais ils abordèrent sûrement les sujets de toujours : le voyage en Angleterre, les canailleries de Dobson et la visite de l'archevêque de l'Amérique du Sud.

Ce fut la veuve qui s'étendit sur ce dernier chapitre, obsédée par son projet de réhabiliter la mission. Le capitaine finissait de vider la liqueur, il avait renoncé à rapatrier la veuve, et ne pensait plus qu'à retourner à bord. Il avait perdu de vue les feux du bateau et craignait le retour de la neige. La veuve se mit à réciter de mémoire toutes ses lettres à Londres. Le capitaine contempla le fond de son verre. Quelque chose qui lui trottait dans la tête lui permit de ranimer la conversation.

— Laissez tomber cette histoire d'archevêque. Vous n'en verrez jamais l'ombre ici. Vous voulez que je vous dise pourquoi ?

Elle le regarda, le cœur battant.

— Abingdon n'avait d'importance que comme poste de sauvetage pour les naufragés tant qu'il existait encore des Canaliens qui pouvaient les amener jusqu'ici. Mais les pauvres diables qui restent ne seraient pas capables de distinguer un naufragé d'une moule. L'Amirauté n'investira pas un centime là-dedans.

D'où sortait-il cela ?

Difficile à dire. Peut-être l'avait-il lu dans un journal explosif, du genre de ceux qui atterrissaient mystérieusement dans sa cabine. Les anarchistes s'amusaient à propager des histoires de ce genre. Peut-être interprétait-il à sa manière la lecture des *Instructions nautiques*. Ou, plus sûrement, toute cette histoire n'était-elle que le produit des vapeurs de l'alcool qui lui faisaient confondre l'archevêque et l'Amirauté britannique. Il se leva avec effort et partit dans le brouillard, sans se soucier de la tempête qu'il venait de déchaîner.

La veuve se cramponna à la bouteille. Elle n'avait jamais considéré l'affaire sous cet angle : que d'aucuns aient considéré Abingdon comme un simple refuge pour naufragés. Mais l'idée lui parut si extravagante qu'elle la chassa de son esprit. Elle porta un toast à la santé de l'archevêque de l'Amérique du Sud. Peu après, elle flottait dans son rêve habituel : les moutons broutaient près du rivage, les oiseaux gazouillaient dans le bois de magnolias, pendant que ses neveux jouaient au cricket.

Les derniers sommets de la cordillère s'avançant dans la mer formaient la côte, et l'Atlantique pénétrait jusqu'au cœur de la montagne. Ces bras de mer étaient de bons abris pour laisser passer les tempêtes ou pour s'approvisionner en eau douce à une cascade. Du pont, on distinguait parfaitement les crabes qui marchaient au fond. Les rives étaient couvertes de myrtes et le vent apportait souvent le craquement des glaciers. En d'autres temps, ces endroits avaient été les meilleurs refuges des goélettes phoquières, quand les braconniers étaient pourchassés à coups de fusil par une vieille vedette à vapeur.

Mais il n'y avait presque plus de phoques et les chasseurs étaient réduits à la dernière misère. Pourtant, leurs persécuteurs ne les laissaient pas souffler. Les chasseurs de phoques, désespérés par cette obstination, avaient décidé d'accuser le gouvernement de l'assassinat d'un Canoero. D'après eux, deux naturalistes embarqués sur cette vedette avaient fait cuire vivant un Canalien pour nettoyer son squelette.

"Quelle absurdité, monsieur !" protesta l'un des accusés, tout en frottant une tête de mort pleine de boue avec une brosse à dents. Il s'agissait du professeur Brainbridge Montagu E. C., auteur de quinze monographies sur la dentition de l'Amérindien. Le journaliste le regardait avec déception. Le professeur Montagu brossait le maxillaire. "Ce malheureux a dû souffrir atrocement. Voyez ce trou fait par l'abcès", expliqua-t-il en montrant une énorme béance sur la mâchoire. Il ajouta : "Ce serait dommage que ces ossements tombent entre les mains de n'importe qui. Voyez cet autre : il lui manque un morceau de la paroi crânienne. On lui a donné un coup de machette. Mais il y aura bien un imbécile pour publier une étude démontrant que le gars a été trépané." Il ne cessait de marmonner, tout en prenant des mesures avec un compas. "Faire bouillir des Canoeros… Ces gens-là ne savent plus quelle saloperie inventer. Donnez aux Canoeros quelques litres de gin et vous obtiendrez un cimetière entier." Il chercha frénétiquement dans un livre une bibliographie où figurait son nom : "C'est moi qui ai découvert le squelette du premier comte de Warminster. Vous croyez que j'ai besoin d'aller me fourrer dans des histoires de dingues ?"

Pourtant, l'histoire avait fait son chemin. Et si la réputation des chasseurs de phoques était au plus bas, leur dénonciation prit valeur de fait public. Un soir, la fameuse vedette accosta à Río Agrio et deux étrangers sautèrent à terre. Les habitués du bar *Grisú* coururent à la fenêtre, en se demandant si ce n'étaient pas les auteurs du pot-au-feu. A première vue ils semblaient inoffensifs, mais tout le monde donnait déjà la chose pour certaine. Une femme dit à sa fille : "Voilà les deux professeurs qui ont désossé le pauvre diable."

Mais tant qu'avaient duré les phoques, les goélettes avaient ignoré les Canaliens et n'avaient pas fréquenté leurs eaux, car ils passaient tout leur temps sur les rookeries de l'Atlantique. Ces années-là, il y avait des millions de phoques sur les rochers et, la nuit, quand un bateau s'approchait trop de la côte, il pouvait échapper au naufrage grâce à leurs mugissements. Dès qu'arrivaient les chaleurs, ces animaux se réunissaient sur la terre ferme et forniquaient pendant tout l'été. Ils étaient les meilleurs nageurs de l'archipel et les femmes des Canoeros passaient des heures à contempler leurs prouesses.

Les mâles, plus gros, étaient d'une force terrible et, quand ils s'accouplaient, ils mugissaient brutalement ou soupiraient comme des êtres humains. De leur côté, les femelles ne pouvaient retenir leurs larmes et elles se donnaient tant de mal pour l'accouplement qu'elles finissaient par être trempées jusqu'au cou. C'étaient des relations bruyantes et joyeuses, puis, après avoir copulé, les animaux sombraient dans la prostration. Les Canaliens préféraient ces mâles épuisés qui n'offraient pas de résistance et auxquels on pouvait facilement barrer la retraite. Les Canaliens ne manquaient jamais de bons phoques, car dès le mois de décembre les mâles ne pensaient plus qu'à employer leur membre. Vers la fin de l'été ils étaient très maigres, leur tête semblait avoir grossi et ils n'avaient plus assez de souffle pour plonger jusqu'au fond de sorte que, s'ils voulaient descendre de plusieurs mètres, ils devaient d'abord avaler des galets.

L'important était de rester loin du troupeau jusqu'à ce que le mâle ait fini. Il fallait aussi ne s'approcher qu'au moment exact. Si tout allait bien, il était facile de le tuer, parfois aussi facile que d'expédier un chat. Un coup de bâton asséné sur le museau suffisait. Mais parfois les choses se compliquaient, venir à bout d'un phoque se révélait pénible : il fallait, pour en achever certains, leur taper dessus jusqu'à ce que les yeux leur sortent de la tête, et parfois, lorsque les animaux parvenaient à mordre le gourdin, ils ne le lâchaient plus, même après leur mort.

Mais seuls les Canaliens tenaient compte de tout cela. Pour les hommes des goélettes en revanche, il suffisait de débarquer contre le vent. Ils arrivaient à l'aube dans leurs canots, coupaient la route au troupeau et ne laissaient pas un être vivant sur les rochers. Les pires étaient les Yankees avec leurs fusils : là où chassaient leurs flottes, les phoques disparaissaient et il fallait se contenter des pingouins. Dans ce cas, le massacre était rapide et simple, et les chasseurs faisaient cuire les oiseaux sur la plage dans de grands chaudrons de zinc qu'ils touillaient sans cesse pour en tirer jusqu'à la dernière goutte d'huile. Les oiseaux se laissaient tuer docilement et ne se montraient jamais effrayés.

Seules les orques faisaient peur aux pingouins. Quand on voyait un tourbillon d'écume se déplacer sur l'eau à toute allure, on pouvait être sûr qu'il s'agissait de pingouins affolés. Ils semblaient en revanche ne s'attendre à aucun mal de la part des chasseurs de phoques et, lorsque ceux-ci avaient terminé leur travail, on pouvait voir les oiseaux survivants rôder entre les chaudrons. Les chasseurs méprisaient les pingouins et leur lançaient des pierres. Ils regrettaient le temps des bonnes chasses, quand la mer regorgeait de phoques et qu'ils descendaient sur les rookeries puantes, pendant que les mâles lançaient leurs mugissements d'alarme. C'était l'instant de plus grande tension, celui qui précédait la course vers la mer. Les hommes de l'avant-garde faisaient voler leurs gourdins. Leurs aides, morts de peur, les suivaient avec leurs pics de terrassiers, instrument idéal pour achever un phoque blessé.

Puis les phoques avaient disparu, et désormais les chasseurs s'activaient tristement au milieu des chaudrons remplis de pingouins. Ils passaient plusieurs nuits à terre, jusqu'à ce que les fûts d'huile soient tous embarqués. Ce moment était attendu avec impatience par les Canaliens aux aguets. Quand le dernier canot était parti, ils se précipitaient sur la plage pour disputer les restes des pingouins aux mouettes.

Au nord il n'y avait pas de montagnes ni de bois, mais des steppes avec de bonnes prairies et une rivière appelée Agrio. Les Canaliens y allaient rarement, car c'était le domaine des Parrikens. Ceux-ci haïssaient les Canaliens, avaient horreur de l'eau, avaient oublié la navigation et mangeaient peu de poisson. En revanche ils se léchaient les babines pour une sorte de lapin insignifiant nommé coruro, ce pourquoi ils étaient connus sous le nom de "Bouffe-coruros" par leurs voisins du Sud.

Un jour, un imprésario débarqua à Río Agrio. Il s'appelait Bongard et venait à la recherche de quelques cannibales pour les présenter à l'Exposition universelle de Paris. Après s'être donné beaucoup de mal, il réussit à capturer une famille de Parrikens. Habitué aux exigences des metteurs en scène et des machinistes de théâtre, Bongard décida d'emmener avec eux leurs chiens et leurs peaux de guanaco, ainsi qu'un kauwi complet et même un canoë inutilisable qu'il avait trouvé échoué sur la plage.

Les Parrikens firent fureur à Paris, même s'ils ne bougeaient pas le petit doigt pour assurer le succès du spectacle. Au grand dam de Bongard ils refusèrent d'emblée d'honorer le programme qui prévoyait qu'ils tireraient à la cible, allumeraient le feu avec des cailloux et du duvet d'oie, et tailleraient une pirogue devant le public. Il fut également impossible de leur faire monter leur kauwi, ce qui obligea Bongard à faire appel à un charpentier. Même s'il se déclara satisfait, le résultat n'était pas très clair. Le kauwi du charpentier local avait un aspect ambigu, mélange de wigwam cheyenne et de bungalow africain.

Le matin, pendant que les femmes nettoyaient le pavillon, les Parrikens allaient se dégourdir les jambes en faisant du lèche-vitrine boulevard Sabathier. De là on apercevait les clients du café *Chaumontel*. Un nègre antillais astiquait les tables. Les Parrikens brûlaient de curiosité : ils n'avaient jamais vu de nègre de leur vie et encore moins de nègre comme celui-là. Dès qu'ils montraient le bout du nez, le nègre faisait un bond. Il les menaçait de sa brosse et ses clients écarquillaient les yeux en découvrant les Parrikens. Quand il parvenait à les oublier, le nègre se remettait à astiquer sur un rythme endiablé, tambourinait avec sa brosse, et tout le monde applaudissait le concert. Puis les Parrikens retournaient dans leur pavillon ; plus tard les gens arrivaient et l'Exposition reprenait ses couleurs.

Les cannibales de Bongard occupaient un secteur où se trouvaient des palmiers et un bassin vitré. Les bords étaient couverts de mousse et au milieu de l'eau flottait une fleur du Paraguay. Les visiteurs buvaient du thé sous une gloriette céleste. C'était une escale enchanteresse en plein pavillon d'Amérique du Sud, à condition que les chiens ne se battent pas entre eux et que les Parrikens ne se fassent pas remarquer par quelque incongruité. Bongard se débarrassa finalement des chiens et cessa de donner à manger aux Parrikens qui faisaient leurs besoins en public ou pissaient dans le bassin. Il distribua à chacun un poncho bolivien pour remédier à leur manie d'ôter leur quillango – un manteau de peaux cousues – aux moments les plus imprévus. Les Parrikens acceptèrent de ne plus rester tout le temps couchés. Le spectacle s'améliora, et Bongard obtint même des cannibales qu'ils fassent le service des tables vêtus de leurs ponchos boliviens.

Mais rien de tout cela ne suffisait pour rivaliser avec les représentations théâtrales, les défilés de modèles, les numéros d'acrobatie et les concours d'orchidées qu'offraient les autres pavillons. Un soir, l'orchestre du cuirassé *Duguesclin* vint donner un concert et le Français découvrit que ses tables étaient désertes. Tandis que les feux d'artifice crépitaient dans le ciel et semaient la terreur chez ses artistes, Alain Bongard décida qu'il était temps pour lui de voguer vers d'autres destinées. Il lança un dernier regard à sa gloriette céleste et partit pour toujours.

Le lendemain, le nègre du café *Chaumontel* attendit en vain ses ennemis. L'Exposition dura jusqu'à l'automne et, quand elle fut terminée, les pavillons furent démontés et l'on perdit la trace des Parrikens. Peu de temps après, ils furent aperçus dans le port de Vigo. Ils avaient entendu dire que, pour retourner dans leur île, il fallait passer par Montevideo. Ils restaient donc toute la journée sur le quai, pour le cas où quelqu'un accepterait de les prendre. Quand un bateau arrivait, une femme se détachait du groupe et demandait avec une indicible douceur : *"Muntivideu ?"*

Quand ils eurent compris qu'ils avaient mis la main sur les meilleures terres du monde, les éleveurs de l'île décidèrent de croiser leurs médiocres brebis avec des reproducteurs européens. A l'époque, déjà, personne ne rêvait plus de transformer les autochtones en parfaits bergers. Pourtant les Parrikens remplissaient largement les conditions requises pour cet emploi : ils couraient trente kilomètres d'une traite, pouvaient dormir à la belle étoile en hiver et résister sans rien manger, à l'égal du Gallois le plus endurci. Mais ils abhorraient plus que tout au monde le travail de berger, de sorte que les éleveurs avaient fini par oublier l'affaire et firent venir, en même temps que les reproducteurs, des bergers d'Ecosse qui amenèrent même leurs chiens.

Les éleveurs avaient des idées bien arrêtées sur le type de moutons requis par les terres Australes. Avant tout, ils se proposaient de transmettre les qualités du mouton européen à leurs produits peu performants des Malouines. C'est pourquoi ils achetèrent une grande variété de béliers qui ne s'acclimatèrent jamais : pas une semaine ne passait sans que débarque un superbe bélier en traînant le cul sur la planche qui servait de passerelle. Le plus célèbre de tous fut Tiberio, fils de Mameluke et de Pretty Maid, natif du comté de Wesley. Bien qu'il soit arrivé avec pas mal de kilos en moins, les connaisseurs lui virent toutes les conditions imposées par le *Manuel de l'éleveur de moutons* à un reproducteur de grande classe : port ferme, laine fine sur la tête, cou inébranlable, pattes écartées, échine généreuse et testicules prometteurs.

Les domaines de Tiberio allaient de la cordillère jusqu'à la mer. Avec le temps, le site devait être doté d'un embarcadère privé et d'un chemin de fer menant à l'Atlantique. Il devait également recevoir d'importants hangars et, plus tard encore, le téléphone et une Panhard et Levassor décapotable qui brillait de tous ses feux chaque soir à côté du bâtiment d'hivernage. Mais à cette époque il n'y avait encore que deux millions d'hectares avec ces brebis ordinaires qui attendaient de bons reproducteurs.

L'endroit s'appelait Quatermaster. En septembre, quand les oies noires apparaissaient dans le ciel, c'était le meilleur de l'île. Les Parrikens partaient dans les collines chercher les oiseaux, comme des esprits de l'aube dans la brume. Nul ne savait exactement où ils allaient. A l'automne ils revenaient beaucoup plus gros, avec leurs colliers en os de pique-bœufs. Ceux qui arboraient les colliers les plus longs étaient les plus gros de tous et certains portaient des colliers à quatre rangs.

Leurs rencontres avec les éleveurs étaient encore pacifiques. Les éleveurs semblaient inquiets de l'arrogance avec laquelle les Indiens traversaient leurs terrains. Les Parrikens paraissaient d'un calme stupéfiant et leur regard faisait peur.

L'idée commença à faire son chemin que les affaires marcheraient mieux si l'île était vidée de ses habitants. Les éleveurs finirent par se préoccuper de ces silhouettes qui passaient à proximité inquiétante des béliers. Pour le moment, les Parrikens ne s'intéressaient qu'aux guanacos qui descendaient vers la côte en hiver et retournaient dans la montagne en été. Les guanacos épuisaient la patience des éleveurs, las de lutter contre les destructions des clôtures de fil de fer et la voracité de ces créatures. Quand ils eurent fait le compte de l'herbe qu'ils consommaient, ils redoublèrent d'efforts pour les éliminer et, très vite, les immenses troupeaux abandonnèrent le terrain et disparurent dans la cordillère de la Fumée.

Les problèmes commencèrent bientôt. Les Parrikens mangèrent un bélier Rambouillet et accrochèrent sa tête à une clôture. Son propriétaire se lança à leur poursuite et, la nuit même, pendant que les bandits ronflaient, il put faire entrer ses chiens à l'intérieur de leur kauwi. Ceux-ci y allèrent avec tant d'enthousiasme que le propriétaire du Rambouillet n'eut pas besoin de gâcher une seule balle. Mais une semaine plus tard on trouva trente brebis égorgées. Cela devint une habitude. Le *Grisú* bourdonnait d'histoires : quelqu'un avait laissé sur la côte une vache marine farcie de cyanure et les parents des défunts, pour se venger, lui avaient volé cinq cents moutons auxquels ils avaient cassé les pattes. Un client exhiba des photos qui montraient les Parrikens en train de ripailler sur une baleine échouée. Apparemment la fête durait depuis plusieurs jours, car beaucoup dormaient confortablement entre les plis de graisse tandis que d'autres s'en allaient chargés de viande. Un individu portait un morceau d'échine sur les épaules, la tête passée dans un trou de la chair. Sur une autre photo, on voyait deux Parrikens bouche ouverte, en train de dévorer la baleine au milieu d'un "essaim" de chiens.

On ne tarissait plus en propos sur l'impiété, la stupidité et l'inaptitude au travail de ces gens. Les armateurs anglais apportèrent un autre argument : l'île entière était un nid de vulgaires écumeurs des plages. Ils dénoncèrent ses côtes comme les pires du monde et les assureurs doublèrent les primes. L'affaire du *Talismán* vint confirmer ce point. Deux survivants tombèrent entre les mains des Parrikens. La police de Río Agrio trouva un soir les victimes dans l'anse du Nègre. Un seul était vivant. Les Parrikens lui avaient coupé les lèvres.

Avec la même éloquence que celle qu'ils employaient à se lamenter sur la cruauté du climat, l'ingratitude de la terre, l'abandon officiel et le manque de crédits, les éleveurs de moutons demandèrent que les Parrikens soient déclarés calamité nationale. Mais leur ton geignard avait changé. Ils envoyèrent un avertissement au gouvernement. Tant que les Parrikens seraient là, inutile de parler de paix et de progrès.

Ce fut ainsi que l'île se remplit de fantômes. Régulièrement un étranger venait s'enquérir d'eux. Journalistes, professeurs d'histoire ou gens du même acabit. Ils voulaient avoir confirmation du sort de Camilena Kippa et de Tatesh Wulaspaia, tout en prenant toutes sortes de notes sur les missionnaires d'Abingdon ou sur Beltrán Monasterio. Mais leur objectif principal était le massacre de Lackawana. Beaucoup les écoutaient avec incrédulité, convaincus que les victimes avaient été emportées par la grippe ou par leurs querelles intestines. Ils soutenaient que Camilena Kippa était toujours vivante, dans une anse perdue, en compagnie d'un homme qui avait trente ans de moins qu'elle. Mais tout était passablement confus et les étrangers finissaient la journée en mangeant une friture au *Grisú*, en compagnie d'un quidam qui se faisait fort de les conduire à Lackawana.

La baie se trouvait près de Río Agrio et ses visiteurs arrivaient toujours à temps pour voir la marée descendre. Il y avait vingt mètres de différence entre les deux marées et, durant le reflux, Lackawana se transformait en un endroit étrange. Le fond de la mer émergeait rapidement et l'eau se retirait par des canaux profonds. Certains capitaines en profitaient alors pour nettoyer leur coque, et les bateaux échoués dans la vase semblaient être les vestiges d'une tragédie. Avec un cheval expérimenté, on pouvait gagner sans problèmes l'îlot Grappler, mais il fallait être très attentif au grondement qui annonçait le retour de l'océan. Dans le passé cet îlot avait été le coin favori des chasseurs de phoques étrangers. Au début de chaque année les Parrikens allaient à Lackawana pour faire leur fameuse chasse. Beaucoup de gens assuraient que c'était là que Thomas Jeremy Larch les avait acculés.

De temps en temps la polémique éclatait. Pendant quelques semaines, les journaux menaient une certaine agitation. Au cours d'une de ces périodes de tapage, un pieux ecclésiastique écrivit à un correspondant de Buenos Aires : "A quoi sert de remuer tout cela ? Nous ne ressusciterons pas ces pauvres malheureux. Et si ceux qui les ont tués ne sont plus parmi nous, nous vivons toujours avec leurs descendants. Cher père : je n'ai pas peur de la vérité. Mais je préfère la dire entre les lignes, pour ne pas manquer à la charité."

A la saison de la tonte, les éleveurs triplaient leur personnel. Les mouillages se remplissaient de cargos immatriculés à Liverpool. Ils recevaient aussi de curieuses visites, par exemple une goélette affrétée pour étudier le passage de Vénus ou une goélette polaire fuyant le pack. Le *Grisú* débordait de capitaines forts en gueule qui organisaient des déjeuners à bord. C'était la seule manière pour eux d'échapper au poulet sur le gril ou au sempiternel bouilli de mouton, au profit d'un *Irish stew* ou d'un *Foie de mouton sauce bordelaise*. Les capitaines de Liverpool faisaient de petites promenades en break jusqu'à la pointe des Détresses. Il y avait là un gardien de phare avec lequel ils bavardaient un peu. Celui-ci n'oubliait jamais d'exhiber son trophée : une montre portant la dédicace de l'Amirauté britannique pour les services qu'il avait rendus aux bateaux venant du Pacifique.

La pointe des Détresses était un lieu sinistre. En un demi-siècle le gardien de phare avait été témoin de désastres impossibles à raconter et dont les autres s'obstinaient à lui arracher des souvenirs. Aujourd'hui, cacochyme, il ne pouvait plus remplir son office. Il montait lentement l'escalier, tandis que la marée venait frapper son phare en menaçant de l'emporter. Durant les rares jours sans vent, le vieil homme sortait une chaise sur le balcon et prenait un moment le soleil. Dans le détroit on apercevait l'île de la Femme et les vedettes à vapeur qui guettaient les voiliers. Par temps calme, ces voiliers étaient entraînés par le courant et seules les vedettes pouvaient les tirer d'affaire.

Mais le tarif des vedettes était exorbitant et les capitaines entêtés finissaient sur les récifs. Du phare on voyait la réverbération des toits de Río Agrio et les contours imposants de l'îlot Grappler. Le gardien avait contemplé ce panorama des millions de fois, mais il ignorait tout d'un massacre.

Parfois, au milieu de la nuit, les courlis qui se fracassaient contre les vitres le faisaient sursauter. Il détestait ces réveils, car il n'est pas de scène plus lugubre qu'une tempête nocturne vue de la tour d'un phare. Mais il se levait quand même, au cas où le brouillard masquerait la lanterne. Dans ces cas-là il ne se recouchait pas. Il ranimait le feu avec le soufflet et sirotait un maté après l'autre. Sa plus grande obsession était celle-ci : que le jour où il y penserait le moins, la lumière du matin ne lui dévoile un bateau à la côte, déchiqueté par la faute de son maudit phare.

Certains pâlissaient à l'idée que Thomas Jeremy Larch était toujours sur l'île, fringant comme un jeune homme. A tant d'années de distance de l'épisode de Lackawana, le tueur de Parrikens vivait encore à Río Agrio. N'importe qui pouvait le croiser sur la plage où il avait l'habitude de se promener avec son chien, les jours de beau temps.

Son serviteur parriken – son *mucamo* – les surveillait depuis la maison, tout en passant le plumeau. Il s'appelait Beltrán Monasterio. Parfois ils faisaient tous les trois la sieste sous la galerie, mais les promenades sur la côte étaient réservées au chien.

On disait que Beltrán avait été élevé par Larch et qu'il était devenu aussi stylé qu'un steward de la Kosmos Line. C'était l'un des rares spécimens authentiques existant encore dans l'île. Les invités en profitaient pour l'étudier à leur aise quand il servait à table. Beltrán vivait dans la fierté de ses cheveux impeccablement peignés et de son gilet bien ajusté. Mais les étrangers semblaient attendre autre chose du dernier des Parrikens.

Ils le mettaient régulièrement à l'épreuve. Un jour, Larch lui demanda de descendre le crâne qui se trouvait sur le bahut, à côté de ses diplômes décolorés du British Museum et de la National Geographic. Tous parièrent que Beltrán perdrait de son aplomb, mais il attrapa tranquillement le crâne, le lustra avec une peau de chamois et le lui donna avec délicatesse. Le crâne portait une étiquette collée : "Tatesh Wulaspaia. Souvenir de Lackawana."

Quand Larch était en forme, il était capable de séduire n'importe qui avec ses histoires de l'archipel. Si quelqu'un prétendait fouiller dans son passé, Larch lui-même lui facilitait la chose par un résumé prolixe des fables les plus courantes. Dans sa bouche, la légende noire devenait ridicule. Il n'avait pas la tête d'un assassin. Et pourtant il n'arrivait jamais à désamorcer complètement cette légende. Sur le ton retenu et doux de certains individus violents il semblait, par moments, résolu à défendre sa mauvaise réputation. Mais la nuit ne passait pas en vain et, après être tombé dans des contradictions flagrantes, il perdait peu à peu son auréole, si bien qu'à la fin il ne restait de lui qu'un vieux fabulateur.

Pour ses deux voisins les plus proches il était seulement un bon compagnon de pêche. Ils vivaient de l'autre côté de la rivière et admiraient Larch pour des choses aussi simples que son habileté à marcher sur la berge sans que les truites le voient. Ils considéraient qu'à plus de quatre-vingts ans un homme a purgé ses fautes et gagné le droit qu'on lui fiche la paix. L'Anglais possédait un grand talent pour s'occuper des chiens ou pour évaluer d'un coup d'œil un brin de laine, de sorte qu'ils aimaient discuter ensemble de gibier et de moutons autour d'une bouteille. Quant à Beltrán Monasterio, ils ne lui accordaient pas plus d'attention qu'au sifflement du vent et ils ne se souvenaient de son existence qu'un peu avant de partir, quand il fallait mettre le vieux au lit.

Après quoi Beltrán se retirait dans sa chambre. Il lui était interdit de dormir par terre, de sorte qu'il dormait sur un cadre tendu d'un quillango usé. Il se couchait tout habillé et restait sur le dos, les yeux rivés à la lucarne. Autrefois il se réveillait toujours par terre. Mais à la longue il avait acquis une parfaite maîtrise de lui-même et cela lui était égal de dormir en haut. La neige s'accumulait sur la lucarne. Souvent, à travers la vitre, il voyait passer ses souvenirs.

Par exemple, sa mère courant voir les chiens pendant que la viande rôtissait, ou le crépitement d'un foyer ranimé dans la nuit. Le feu était alimenté en branches très pauvres qu'il fallait renouveler tout le temps, jusqu'à ce qu'il reparte en éblouissant ceux qui étaient autour.

Il y avait une petite ouverture au-dessus du feu. Quand la neige arrivait, Beltrán regardait les flocons qui entraient dedans. Il était souvent difficile de se placer tout près des flammes, mais quand quelqu'un obtenait un bon endroit, on le laissait tranquille. Durant la nuit d'autres choses pouvaient se passer. Il était normal de se réveiller la faim au ventre et de sortir chercher un morceau de viande à mettre sur le feu. La viande était suspendue à un arbre et tout le monde pouvait se servir. D'autres nuits étaient plus calmes, la neige tombait doucement, les flocons entraient par l'ouverture et flottaient au-dessus des braises.

Un soir, les amis de Larch passèrent chez lui. Ils l'avaient d'abord cherché sur la plage, mais ils n'avaient vu que quelques poules qui picoraient des coquillages dans la marée descendante. Ils allèrent sous la galerie et trouvèrent l'Anglais gisant dans une mare de sang, aussi raide que son chien. Ils pressentirent aussitôt que Beltrán Monasterio était parti. Avant de quitter les lieux, il avait coupé les testicules de son patron et les lui avait mis dans la bouche. Personne ne l'a jamais revu.

I

CUMBERLAND BAY

Federica

Le paquebot attendait dans Cumberland Bay depuis minuit. Les passagers avaient perçu le cliquetis de la chaîne et les bruits habituels de la manœuvre de mouillage, jusqu'à ce que la proue se présente face au courant et que l'on stoppe les machines. Bien que l'horizon soit encore marqué par les dernières lueurs du soir, on approchait déjà de l'aube. En réalité ce n'était pas un véritable horizon marin, car ils étaient entourés d'îlots. Ils avaient jeté l'ancre au coucher du soleil, mais l'horloge indiquait déjà deux heures et l'arrivée du jour était imminente. Le maître d'équipage ne prêta aucune attention à ce détail. Il était habitué à certaines aberrations australes, et même la présence simultanée des deux crépuscules à chaque extrémité du ciel n'aurait pu le surprendre. Il se borna à sortir régulièrement pour surveiller la chaîne et les feux de mouillage. En se penchant au-dessus du bastingage, il crut voir l'œil d'un chien. Les Canaliens étaient toujours là, couchés dans leurs canoës.

A sept heures, il prépara une tasse de thé et entra dans la cabine du capitaine. Celui-ci se dressa sur sa couchette, prit la tasse, remua lentement la cuiller et la lécha.

— Nous en avons combien ?

— Quatre canoës, monsieur.

— C'est tout ? murmura le capitaine. L'année dernière ils étaient trente.

— Il y a Camilena et ses enfants. Je ne connais pas les autres.

Le capitaine cacha sa déception. C'était lui qui décidait cette escale dans Cumberland Bay. Arrivé à ce point on était à la moitié du voyage, New York était encore très loin et la lassitude des passagers générait un climat passablement délétère, de sorte qu'il leur offrait la rencontre avec les Canaliens comme un supplément au service. Seuls ces canoës garantissaient aux passagers qu'ils avaient doublé le bout du monde. Cette manie du capitaine déchaînait une vague de critiques parmi ses collègues de la Pacific Steam Co, qui ne se privaient pas de pronostiquer un massacre de passagers.

Une autre surprise l'attendait sur le pont.

— Ils ne veulent pas monter, l'informa le maître d'équipage. Ils veulent d'abord savoir ce que nous avons à leur proposer. Seule Camilena est montée.

Le capitaine regarda de l'autre côté du bastingage. Les gens des canoës semblaient calmes. Pourtant une alarme retentit dans son cerveau. Un instant, il se vit convoqué dans les bureaux décadents de Gordon Street où chaque paquebot peint à l'huile occupait sa place sur le mur qui lui était attribué. Ce fut un délire fugace qui le remplit cependant d'horreur, le temps d'entrevoir que son emploi était suspendu à un fil et que ses initiatives se heurteraient éternellement à la médiocrité de l'administrateur. Il vérifia que le tireur était bien à son poste. Celui-ci était adossé d'un air bonasse à une cloison et personne n'aurait dit qu'il cachait une Winchester derrière ses jambes.

Plusieurs passagers entouraient la Canoera sur le pont. Le vent du matin soufflait et elle retenait son quillango, la cape de peau qui lui couvrait à peine les épaules. De l'autre main elle présentait les échantillons de ce qu'elle avait à vendre, deux peaux de loutre trempées et ternes. Elle était là pour les troquer, ainsi que ses autres peaux. Si tout marchait comme elle le voulait, elle finirait par négocier jusqu'à son propre quillango.

Federica dit à son père :

— La femme de ce canoë donne le sein à un petit chien !

Une dame fit une mine dégoûtée. Il ne manquait plus que ça. C'était la sœur du capitaine : l'enfant l'avait traînée sur le pont au milieu du petit déjeuner. Elle regarda les Canoeros avec ennui. Elle n'attendait rien de cette côte sinistre. Elle venait de Californie et ne voyait pas arriver l'heure où ils feraient leur entrée dans le port de New York. Elle trouvait inhumain de devoir à chaque printemps, *juste pour traverser les Etats-Unis*, franchir la moitié du monde en passant par les eaux de deux océans. En revanche Federica et son père paraissaient très contents. Dans quelques heures ils allaient débarquer tous les deux à Abingdon. L'homme était médecin à Sandy Point, sur la partie occidentale de l'île. Sa fille allait en classe à Valparaíso et ils ne passaient ensemble que les vacances d'été. Après trois semaines à Abingdon, ils devaient poursuivre sur Sandy Point, après quoi elle retournerait au collège pour la fin de février.

Le capitaine s'approcha de Camilena. Il l'avait connue à la mission anglicane, dans les eaux de laquelle il avait mouillé plusieurs années de suite. Mais la mission était pratiquement vide et le capitaine préférait Cumberland Bay pour recevoir les Canoeros. Elle lui tendit une poignée de fraises sauvages.

— Bonjour, Camilena.

Le capitaine goûta une fraise mais ne se mit pas en frais de conversation. Il lança un nouveau coup d'œil par-dessus le bastingage, en direction des enfants de Camilena. Comme d'habitude, le mari de la Canoera n'était pas là.

Le maître d'équipage ne les lâchait pas d'une semelle, compte tenu de l'inépuisable faculté qu'avaient ces gens de voler n'importe quoi. Quand les autres monteraient à bord, il mettrait plus d'hommes à les surveiller. Au dernier voyage ils lui avaient escamoté un pot de graisse malodorante qui servait à lubrifier le cabestan. Un matelot jurait qu'ils l'avaient mangé illico. Cet épisode résumait très exactement l'opinion que le maître d'équipage avait des Canaliens.

Camilena parvint à un arrangement avec le capitaine. D'autres Canaliens montèrent sur le bateau, se dispersèrent sur le pont, commencèrent à en flairer tous les coins et à vendre leur camelote. Très vite survint le premier incident. Un individu du nom de Selcha fut surpris dans une cabine avec dans les mains un objet qui ne lui appartenait pas. Deux matelots le poussèrent rudement sur le pont. Là, Selcha put se dégager et il s'adossa au bastingage pour les insulter tandis qu'il relevait sur son front un bonnet de phoque qui ne le quittait jamais. L'homme à la Winchester lui planta le canon de la carabine dans le ventre et Selcha leva les mains pacifiquement. Mais il était connu pour sa façon meurtrière de lancer ses pierres, de sorte qu'il dut jeter celles-ci à l'eau. Quelques moments plus tard il se promenait comme si de rien n'était. La fille du médecin lui donna un chocolat qu'il engloutit d'un coup. Le maître d'équipage collait à Selcha. Le capitaine détestait les incidents à bord et c'était la seule chose qui le retenait. Autrement, le maître d'équipage aurait arrosé Selcha de goudron et y aurait mis le feu.

Camilena restait distante. Elle avait les jambes nues et les hommes du bateau ne la quittaient pas des yeux. Lorsque quelques rafales isolées annoncèrent le mauvais temps, elle tourna le dos au sud-est et baissa la tête, tout en serrant contre sa poitrine les pointes de son quillango. C'était le seul moyen de faire tenir cette peau sur le corps. Le capitaine et le docteur échangèrent un regard. Peut-être pensaient-ils à la même chose : aux plaisirs qu'avait dû dispenser ce quillango défaillant au titulaire de la mission. Ce fut le grand sujet du déjeuner. Ils parlèrent des jours glorieux d'Abingdon, quand les Canoeros du bout du monde venaient de toute l'île pour se jeter dans les bras de l'Eglise d'Angleterre.

Camilena observa la goélette phoquière qui venait de surgir à l'horizon. S'ils partaient tout de suite, ils arriveraient à la côte sans problèmes. Rester, c'était risquer le pire. Le capitaine avait l'air de s'ennuyer et il pouvait lever l'ancre subitement, peut-être au moment précis où ils se trouvaient à la hauteur de la goélette des chasseurs de phoques. Elle descendit dans le canoë et réveilla ses enfants.

Jaro se montra à la hauteur des circonstances et s'employa à dégager rapidement le canoë. En revanche Isabela prit son poste de mauvaise grâce, tout en jetant un regard sombre au paquebot. Son petit frère, glissé sous une couverture, lui saisit amicalement le pied. Ce contact rasséréna Isabela. Bien des mois plus tard, quand l'oubli fut passé sur l'affolement de cette course, Isabela devait se rappeler ces doigts minuscules tenant son talon, pendant que les macareux criaient pour annoncer la tempête et que Camilena pagayait vers la terre.

Puis survint un coup de tabac. Isabela et Jaro se tenaient sur le qui-vive, accroupis au centre et le corps prêt à éviter le chavirage. Les autres canoës se dispersaient aussi.

L'eau filtrait à travers les pierres plates du fond. Jaro écopait sans cesse. Normalement, c'était la place du feu. A l'avenir ils n'auraient plus besoin de le transporter avec eux, car leur mère possédait enfin des allumettes. Plus personne ne savait allumer un feu comme autrefois, en cognant deux pierres dures près de quelques brins de mousse mélangés à des nids d'araignées.

Les mouvements de ses épaules indiquaient que Camilena pagayait frénétiquement. Le courant était favorable et ils s'éloignaient de la goélette. L'averse n'était plus qu'une fine bruine et, maintenant, ils tremblaient tous.

Le petit étreignit le chien blanc. Le chien avait un museau de lévrier et s'appelait Barbucho. Le petit n'avait ni nom ni rien. Isabela devait encore le baptiser, dès qu'elle aurait trouvé un nom convenable. C'était pour cela qu'elle portait toujours autour du cou le cordon ombilical de son frère. Pour l'instant elle souffrait de cette course terrible en pleine tempête. Personne n'avait jamais échappé à une goélette pho-quière. Camilena était la meilleure Canoera de tout l'archipel, on n'entendait que sa voix dans les moments difficiles, et tous exécutaient ses ordres secs.

La goélette gagnait du terrain. Sa proue sou-levait une moustache d'eau. Un mauvais vent de nord-est soufflait et elle portait toutes ses voiles. On distinguait maintenant la saleté de la coque. A cheval sur le bout-dehors, un homme tenait son fusil prêt. Les matelots des goélettes, pensait Jaro, n'étaient pas obligatoirement cruels. Il avait toujours sur lui une bouteille vide de sauce Perrins dont un chasseur de phoques lui avait fait cadeau.

C'était le moment qu'attendait Camilena. Elle donna quelques coups précis, le canoë roula dangereusement et se plaça sur sa nouvelle route. La goélette continua de les suivre en exécutant une manœuvre élégante. La Canoera en fut décontenancée. Les bateaux phoquiers viraient lourdement, au milieu des jurons de l'équipage. Mais cette goélette-là volait. Il n'y avait ni algues cachiyuyos ni brisants en vue, ce qui lui garantissait un fond clair et profond. La côte était encore loin. Il était évident que la goélette allait bientôt les rattraper.

Mais, juste à ce moment-là, celle-ci toucha le fond. Sa course s'arrêta de la manière habi-tuelle, quand se produit cet incident honteux des voiliers qui naviguent par ciel clair et se retrouvent pris dans le pire des déshonneurs.

Camilena ne se retourna pas. Elle sentait dans son dos le regard mauvais de l'homme de proue et attendait la détonation de la Winchester. Mais il n'y eut pas de coup de feu. Ces gens avaient d'autres problèmes. Peut-être avaient-ils heurté un fond rocheux et les craquements de la coque leur révélaient-ils un désastre.

Tatesh attendait sur la côte, dans l'eau jusqu'à la poitrine. En voyant son air tranquille, Camilena ralentit son rythme. Sur la goélette, on mettait un canot à la mer. Ses matelots mouillaient une ancre, afin que la marée descendante ne continue pas de les enfoncer. Au loin le paquebot repartait en direction de l'Atlantique, le pont couvert de passagers.

Camilena lâcha finalement la pagaie. Elle était épuisée et pria pour que le courant les mène jusqu'à la terre. Mais ensuite elle décida de se mettre à l'eau et remorqua le canoë sur les derniers mètres, puis, à deux, ils le tirèrent au sec. Tatesh avait étalé une longue couche de cachiyuyos frais, aussi fut-il aisé de pousser le canoë sur cette masse visqueuse. Ils le dissimulèrent sous les fourrés et transportèrent son contenu dans le kauwi. Quand ils eurent terminé, il faisait nuit. Camilena redescendit à la plage. La goélette avait allumé ses feux de mouillage qui disparaissaient régulièrement dans la houle. Le vent était trop fort pour que quelqu'un puisse débarquer, mais elle ne fermerait pas l'œil de la nuit.

Le lendemain, la goélette était partie. A part quelques canards qui nageaient paisiblement, tout était désert. Le soleil achevait de se lever et les canards ponctuaient l'eau luisante. Il ne restait pas de traces de la tempête. Camilena entra dans l'eau avec un panier et arracha de grosses poignées de moules. Elle pensait aux fruits de son voyage au paquebot et surtout à la boîte d'allumettes. Pendant la nuit, elle les avait regardées une à une avant de les ranger de nouveau, et elle avait finalement entortillé la boîte dans une bande de peau graissée.

Sa famille dormait encore quand elle revint avec ses moules. Elle les étala sur la braise et sortit chercher du bois. A son retour les moules étaient à point. Le jus mélangé à l'eau de mer bouillait entre les coques ouvertes.

Tatesh réveillé grogna, encore sous l'influence de sa mauvaise humeur matinale. Camilena lui tendit quelques moules sur une mâchoire de phoque. Tatesh ne quittait pas des yeux les provisions du paquebot. Une espèce de sourire rôda enfin sur ses lèvres.

A midi, Keno arriva avec sa femme et sa cousine Lelwacen. Les hommes partirent chasser et Jaro les suivit. Isabela resta sur le rivage avec le petit sans nom, pendant que les femmes entraient dans la mer avec le reflux. Isabela les regardait avec envie. Le petit se mit à pleurnicher et elle lui mit dans la bouche un morceau de graisse à sucer.

Camilena sentit l'eau glacée sur ses cuisses, tandis que le soleil de décembre lui griffait les épaules. Elle avança sans trop se faire d'illusions : c'était seulement les jours où le ciel était voilé que l'on trouvait les bonnes moules. Elle admirait l'agitation des enfants. La femme de Keno mettait des petits au monde comme une lapine, ses propres enfants étaient très adroits, et quand on faisait la cueillette avec eux on était sûr de récolter des moules en quantité.

Durant un long moment, ils décollèrent leurs coques et les jetèrent dans les paniers. Les trois femmes avaient laissé leur vêtement sur le rivage et travaillaient nues. L'été venait de commencer. Elles posaient avec précaution le pied sur chaque pierre, à la recherche de ces endroits que la marée ne découvrait jamais. Elles sortirent un certain nombre de pièces très moyennes mais elles virent bien vite que cette journée n'aurait rien d'extraordinaire.

Camilena décida d'aller chercher le canoë. C'était le seul moyen d'améliorer les choses. Elle avait beaucoup de patience pour repérer les signes annonçant une bonne colonie en eau profonde. Elle savait trouver les moules les plus grosses et elle pouvait plonger au milieu des cachiyuyos sans y rester accrochée. Lors d'un de ses coups d'œil vers la terre, elle aperçut la fumée sur la plage. Cette fumée sortait du kauwi. Elle lança un cri d'alarme et se précipita vers le rivage. Elle était tellement terrifiée qu'elle eut du mal à suivre cette direction au lieu de faire demi-tour et de s'enfuir vers les récifs.

C'étaient les hommes de la goélette. Après avoir mis le feu au kauwi, ils passèrent à côté des enfants qui dormaient à poings fermés. Ils incendièrent aussi le canoë et se couchèrent sur les galets. Ils ouvrirent le corned-beef de Camilena. Coûte que coûte, les femmes devaient aller vers eux. Ils étaient quatre chasseurs de phoques, car le cinquième était resté sur le bateau. La goélette était mouillée derrière une pointe, voiles hissées à l'envers pour qu'elles sèchent. De loin, on aurait dit un de ces anciens bateaux respectueux des rites qui mettaient leurs voiles en berne quand quelqu'un mourait à bord.

Apparemment ils allaient vers le Pacifique, mais personne n'en était sûr. Il était difficile de le demander au patron, car la guigne continuelle l'avait rendu aussi sociable qu'un poulpe. Du moindre recoin, une vedette à vapeur leur tombait dessus ; ils n'avaient presque rien à manger et cela faisait deux mois qu'ils n'avaient pas vu un phoque.

C'est pourquoi ils étaient maintenant sur cette plage, pris dans la glu du destin. De temps à autre, par le passé, ils étaient descendus à terre pour chercher une femme, mais aujourd'hui c'était différent. Ils allaient d'échec en échec et les Canoeras paieraient pout tout le reste. Le patron n'était pas fou d'elles mais, pour Camilena, il était prêt à se sacrifier. Il était en train de s'exciter à cette idée quand il entendit un hurlement.

Avant le cri de Camilena, un gobe-mouche avait chanté. Ensuite, ce fut le silence. Les chasseurs de phoques sursautèrent, tandis que la femme de Keno se redressait dans l'eau. Le petit sans nom ouvrit tout de suite les yeux, mais Isabela luttait contre le sommeil. Barbucho, qui revenait de vaguer dans le bois, s'arrêta près des enfants et traça un large cercle pour montrer qu'il contrôlait le terrain.

Lelwacen fut la dernière à recevoir l'avertissement. Elle découvrit la goélette ancrée, la fumée sur la côte et les silhouettes des chasseurs. Elle cria à Camilena de revenir. Ensuite elle vit la femme de Keno lâcher les moules et nager vers le large. Elle suivit, épouvantée, la lutte de Camilena avec les intrus. Elle vit qu'ils la tiraient hors de l'eau et elle se prépara à ce que ce soit son tour.

Elle semblait tellement sans défense que deux hommes seulement allèrent vers elle.

Pour montrer son obéissance, Lelwacen avança de quelques pas. Les individus applaudirent. Il restait encore une certaine distance entre eux et Lelwacen. Ils lui ordonnèrent de montrer ses moules et elle agita le panier.

Pendant ce temps Isabela volait sur la plage avec son frère dans les bras. Elle regardait sans arrêt derrière elle, prête peut-être à revenir, mais Camilena, essayant elle-même de se débattre, lui criait de courir. L'enfant pleurait, désespérée, et continuait de fuir. Quand elle disparut au loin, le calme revint. Camilena et ses agresseurs s'étaient évaporés. La femme de Keno avait été avalée par les brisants. Il ne restait que les deux chasseurs qui attendaient Lelwacen.

La malheureuse avait le visage ruisselant de larmes, comme un phoque quand on lui coupe la retraite. Elle se laissa tomber dans l'eau et sortit des cailloux du fond. Les hommes ne perdaient pas un détail. Ils finirent par comprendre que cette femme était en train de remplir son vagin de pierres. Ils n'avaient jamais vu chose pareille. Ils eurent un sourire d'incrédulité. Mais ils brûlaient de fureur, et ils ne s'en jetèrent pas moins sur elle.

Quelques jours plus tard, ils décidèrent de gagner le Pacifique par la Voie lactée. C'était une véritable idiotie, mais que pouvaient-ils faire d'autre ? Il suffisait de les regarder pour comprendre qu'ils avaient besoin de n'importe quelle action pour rompre le mauvais sort. Le patron abaissa ses jumelles, étudia l'horizon jaune et confirma le cap à l'homme de barre :

— Deux cent quarante.

Le bateau semblait à bout. Sa charpente était noircie par les intempéries, tout paraissait imprégné de graisse et ils n'avaient qu'une ancre à bord, à laquelle manquait une patte. Sur les mâts rafistolés il ne restait plus trace de peinture. L'homme qui avait pour nom Joaquín Palabra contempla le pont à l'abandon et se souvint de l'époque de la Kosmos Line, quand il fallait dix heures pour fourbir les bronzes et qu'il suffisait d'une nuit d'humidité pour réduire le travail à néant.

La goélette s'appelait le *Talismán*. Elle faisait route vers la Voie lactée, un bouillonnement de récifs qui fermaient le passage vers le Pacifique. Le soleil avait disparu, la côte rocheuse était devenue chauve, la lumière était grise et l'eau perdait sa couleur. Les brisants écumaient à l'horizon. A tribord, on voyait les îles Sanguinaires. On entendait aussi l'éternel mugissement qui règne dans ces parages, peut-être encore renforcé par quelque vieux phoque posté sur un rocher. Selon les *Instructions nautiques* ils avaient devant eux un étroit îlot de trente mètres de haut que les vagues franchissaient de part en part. Les *Instructions nautiques* recommandaient aux navigateurs de ne plus quitter leur gilet de sauvetage à partir de ce point. Mais le patron du *Talismán* ne consultait jamais les *Instructions nautiques*, car il se fiait uniquement à son instinct. Sa confiance était telle qu'il comptait bien entraîner derrière lui la vedette qui les poursuivait, jusqu'au cœur des récifs. Il se contenta de sortir une carte marine moisie pour tracer du doigt une route très vague. Mais finalement il rangea la carte. Ce n'étaient peut-être pas les îles Sanguinaires mais le rocher Jupiter, auquel cas les choses seraient encore plus difficiles et ils entendraient bientôt les lamentations des oisillons qui peuplaient ces récifs. Peut-être aussi tout était-il sur le point de mal tourner, le patron n'avait-il déplié la carte que par pure nostalgie du temps où il étudiait pour être pilote, et ses illusions allaient-elles s'envoler aussi rapidement qu'il empoignait son crayon et traçait des routes sûres qui le mèneraient vers une vie meilleure.

Cela s'était passé sur le río de La Plata. Par le hublot embué on voyait passer les barques pleines de sable. Une nuit qu'il regardait la brume qui roulait comme des gouttes de pluie sur l'armature du bateau, un paquebot était apparu, avec un orchestre sur le pont. Les violons coupaient la brume et, longtemps, il avait continué d'entendre la musique en direction de la haute mer. Un moment de plein bonheur, qui lui revint en mémoire cette après-midi-là, tandis qu'il traçait la route du Pacifique de son doigt de patron.

A ce moment précis, ils chavirèrent. La cause en fut un sérac qui se détacha de la cordillère de la Fumée et dévala la montagne avec un bruit d'arbres brisés. L'avalanche balaya la péninsule Warp et mordit les rochers aiguisés avec un hurlement. En traversant le canal Sans-Issue, elle souleva une lame qui recouvrit toute la côte, puis atteignit la goélette. Trois hommes se trouvaient dans la cabine et deux sur le pont. Ces derniers virent l'avalanche au dernier moment. Les hommes de la cabine furent projetés en l'air et se retrouvèrent dans le noir.

Le patron comprit qu'il était toujours à l'intérieur du bateau, même si tout était sens dessus dessous. De l'écoutille, au-dessus de ses pieds, jaillissait un torrent d'eau de mer. La providence avait fait qu'il se trouvait au bon emplacement, ce qui lui permit de s'y introduire la tête en bas. Il lutta contre le flot qui envahissait la cabine, mais au moment où il était arrivé à sortir la moitié du corps, la résistance cessa. Il nagea sous le pont à côté des mâts rompus. Il avait très peu de temps. Il vécut un autre instant de panique en sentant que son talon restait coincé, mais il put finalement se libérer et émergea à la surface.

La goélette était ventre à l'air, peu disposée à se redresser. Il y avait un autre homme dessus et la mer était déserte. Le patron nagea quelques brasses et se hissa sur la coque verdâtre. Son compagnon d'infortune était Joaquín Palabra. Tous deux haletaient terriblement. L'avalanche était passée, mais la mer conservait son atmosphère de mort. Allongé sur la quille, le patron étudia le flux et décida que la marée montait. Au moins, s'ils continuaient vers les récifs, cela les sauverait. S'ils ne coulaient pas tout de suite, le courant les porterait à la côte.

Joaquín plongea plusieurs fois jusqu'à ce qu'il parvienne à détacher la yole et il la ramena à la surface. La yole était à sa place sur le pont et elle ne s'était pas échappée. Mais ils restèrent là où ils étaient. Même retournée, la goélette leur semblait plus sûre. Ils continuèrent à grelotter sur la coque, pendant que les albatros les surveillaient.

A ce moment leur parvint un appel. Ils auraient pu comprendre tout de suite, mais il fallut encore plusieurs coups frappés contre la coque pour qu'ils admettent enfin, hébétés, que quelqu'un demandait de l'aide.

— Merde, murmura le patron.

— C'est impossible…

Cinq minutes s'étaient écoulées depuis qu'ils avaient chaviré. Joaquín balbutiait comme s'il était devenu fou.

— Pourquoi ils ne sortent pas ? dit-il enfin.

Il colla ses lèvres contre le *Talismán*.

— Sortez par l'écoutille. Sortez !

Le patron hocha la tête.

— Impossible. J'y suis passé par un coup de chance. Ils ne la trouveront jamais.

Il se souvint du torrent sur ses pieds, puis de l'épouvantable sensation éprouvée quand son talon était resté coincé.

Mais il frappa à son tour un coup sur la coque, en criant :

— Mateo !

Puis il y appuya son oreille. A l'intérieur régnait un brouhaha indéchiffrable, comme des plaintes humaines mêlées aux craquements de la glace et au claquement de mandibules des dorades nocturnes quand elles dévorent les crabes.

Une fois, il avait vu un cargo qui transportait des chevaux. Le bateau était échoué depuis trois jours et, dès que quelqu'un se présentait, les gamins du rivage lui proposaient de coller une oreille contre la coque. Tous juraient que *ce qu'il y avait à l'intérieur* n'était pas des chevaux. Une dame, le visage livide, suppliait les enfants de s'écarter du bateau.

Joaquín Palabra imita le patron. Il appliqua délicatement une oreille. Puis il le regarda avec étonnement en s'exclamant :

— Ils chantent !

Le patron hocha de nouveau la tête.

— Non, mon vieux, murmura-t-il.

Maintenant, le patron pensait au caban de Mateo. Le vieux le tenait à l'abri de l'eau et ne l'enlevait que pour aller sur le pont. Il ne leur restait qu'un seul ciré et ils s'en servaient à tour de rôle.

Peu avant de chavirer, pendant que Mateo faisait chauffer le café, ils avaient échangé un regard. Le troisième homme dormait sur sa couchette. Les bottes rapiécées de Mateo avaient grincé sur le plancher. Un mouchoir pendait de sa poche. Le caban souillé de graisse flottait sur son corps. Dessous, il portait plusieurs tricots. "Hé ! Mateo : c'est ta grand-mère qui t'a habillé ?" lui disait souvent Joaquín Palabra. Mateo jurait à travers son cache-col. Mais, même ainsi emmitouflé, il était rapide comme une mouche.

— Mateo ! Mateo ! glapissait maintenant Joaquín.

"Il est foutu", pensa le patron. Et il murmura :

— C'est inutile. Descendons dans la yole.

Mais ils n'osèrent pas se séparer du *Talismán*. Ils attachèrent l'embarcation à la goélette, avec autant d'entrain que s'ils s'accrochaient à un tombeau. Ils demandaient seulement que le bruit des coups s'arrête.

— La vedette est partie avec l'avalanche, remarqua Joaquín Palabra.

La nouvelle ne le réjouit pas. Le bateau s'était enfoncé de plusieurs centimètres. A moins de quelque mystérieux phénomène nautique interrompant son immersion, ils le verraient bientôt sombrer. Alors ils devraient ramer vers la terre.

Au loin une lumière tremblotait. C'était peut-être un feu sur la côte, ou bien simplement le soleil sur la mer. Le patron ne cessait de la regarder.

— Allons-y, dit-il enfin. Il faut accoster de jour.

— Et si c'étaient des Canaliens ? s'inquiéta Joaquín.

Le patron détachait la yole. Joaquín empoigna les rames et ils s'éloignèrent du bateau. Les coups s'étaient tus. Le silence dura jusqu'à ce qu'ils eussent perdu de vue le bateau retourné.

— Ils doivent être morts, maintenant, dit Joaquín.

— Personne ne meurt en pleine mer, murmura le patron.

Il se demanda absurdement si Mateo les voyait s'éloigner, par une fente de la coque.

Joaquín était jaune.

— Ça ressemble à un châtiment du ciel. L'affaire de ces femmes, c'était une saloperie.

— Ramons, dit le patron.

Il pensa : "Ce n'est pas un délit de tuer des Canoeros."

Mais Joaquín se demandait seulement s'ils seraient pendus pour cela. Il se demanda aussi si le patron serait gracié parce qu'il était vieux.

Le patron s'interrogeait sur ce qu'il aurait dû faire pour protéger son bateau. Il se souvint de sa dernière visite à cette côte. L'orage avait obligé les hommes à bien arrimer leurs vêtements à leur corps en montant au mât, pour ne pas se retrouver tout nus. Ils avaient jeté l'ancre à la lumière des éclairs, en patinant sur le pont gelé. Ils venaient du Pacifique et un matelot était blessé. Ils pensaient qu'en matière d'infortunes, ils avaient touché le fond et que rien ne pourrait être pire. Ensuite ils s'étaient rassemblés en bas pour manger quelques rondelles de saucisson avec le muscat de Sandy Point.

Mais il n'y avait plus ni muscat ni bateau et ils voguaient vers ce feu inquiétant. "On n'a jamais été dans un tel pétrin", soupira Joaquín Palabra.

II

ABINGDON

Camilena Kippa avec sa mère

Camilena ne cessait de penser au chien depuis l'après-midi où elle avait vu fuir Isabela avec le petit dans les bras. Cette vision de ses enfants escortés par Barbucho l'avait aidée à rester en vie. Mais cela ne l'empêchait pas de pleurer dans son sommeil et de se réveiller en sursaut le visage trempé. Elle pleurait en pensant à Isabela. Sa fille avait sept ans et elle avait couru sur la plage, sans cesse tentée de faire demi-tour, pendant que Camilena se battait avec les chasseurs de phoques et lui criait de continuer. Isabela avait obéi, morte de peur. Sa mère n'était pas avec elle et il était difficile de courir avec son frère. Elle craignait de lâcher le petit, car dans ce cas elle perdrait Barbucho.

Camilena ne se rappelait pas grand-chose de l'agression ni de la manière dont elle était arrivée dans le bois. Mieux aurait valu ne pas quitter la côte, pour ne pas perdre ses enfants. Mais en voyant la couleur de l'eau, elle s'était dit que la mer achèverait de la vider de son sang, de sorte qu'elle s'était traînée sous les arbres jusqu'à ce qu'elle n'entende plus les vagues. Depuis elle était restée là, en rêvant à ce chien. Dans la journée, elle regardait la voûte des arbres et, la nuit, elle cherchait une étoile. Elle sentait la pluie sur son visage. Elle réussit à abriter la moitié de son corps sous un chêne moussu. Le tronc était pourri et sur le point de tomber en poussière. Ensuite elle ne put plus bouger. Sous la couche de tourbe un ruisseau caché trépidait. De temps en temps elle recevait la visite d'un oiseau. Une après-midi, par brefs instants, elle eut un rayon de soleil. Cette nuit-là les nuages défilèrent dans la percée minuscule, leurs contours éclairés par la lune. Elle crut que le ciel s'en allait. Camilena gémissait de soif, malgré la pluie. Elle palpa son visage tuméfié, mais tout de suite elle retint sa main. Chaque fois qu'elle explorait son corps meurtri par les coups, elle faisait de mauvaises découvertes.

Elle tremblait de froid et se prépara à mourir.

Puis vinrent des gens, qui l'emmenèrent en la portant. Le bois cessa de ruisseler de pluie. Combien de temps était passé ? Trois nuits, lui dit quelqu'un. Elle n'arrivait pas à le croire. Au lieu du ruisseau souterrain résonnaient les coups de canon d'un lointain glacier. Elle avait un feu près d'elle, elle n'était donc pas en enfer. (Une fois, elle avait entendu dire que l'enfer était un puits glacé rempli de sang.)

Sur la lune derrière les branches on voyait une femme assise. La femme de la lune était une Canoera qui n'avait jamais réussi à traverser la baie Tabakkana. Si bien qu'un jour elle s'était dit : "Puisque je n'arrive pas à traverser, je vais rester dans la lune pour toujours." Et le canoë s'était dressé tout droit, et depuis la femme était sur la lune. C'était pour cela que beaucoup de gens, les nuits de pleine lune, ne manquaient pas de dire à leurs enfants : "Regarde, c'est la femme qui ne pouvait pas traverser la baie Tabakkana."

Puis une vache beugla et elle sut qu'elle était de retour à Abingdon. Tatesh dormait à côté d'elle. Le feu crépitait. Camilena examina le kauwi tout neuf. Il était mieux construit que n'importe quel autre kauwi qu'ils auraient pu avoir et ne laissait pas du tout entrer le froid. Tatesh avait dû mettre beaucoup de temps à le monter, avec la seule aide de Jaro. Camilena se retourna péniblement et son visage se retrouva tout contre la bouche de Tatesh. Puis elle posa sa main sur la poitrine de l'homme. Une femme qui posait la main sur la poitrine d'un dormeur ne tardait pas à découvrir ses pensées.

C'était la deuxième fois qu'elle émergeait de son sommeil. A côté d'elle il y avait les enfants, avec le petit sans nom au milieu. Camilena se rendormit et rêva qu'elle les examinait pour voir s'ils étaient bien intacts. Quand elle se réveilla de nouveau, Tatesh ronflait furieusement. Camilena était libérée. Ce fut une sensation agréable : depuis l'agression des chasseurs de phoques, elle ne s'était jamais réveillée tout à fait.

Tatesh portait au bras un bracelet de nerfs tressés. Sa hutte fourmillait de nouveautés. Isabela dormait à côté d'une poupée en crin de guanaco. Camilena se dit qu'il s'était peut-être écoulé plus de deux nuits et caressa la tête de Jaro qui répondit par un grognement. En revanche Barbucho se montra sociable. Camilena le regarda froidement et le chien retourna s'étendre par terre près de Jaro.

La mer explosait sur la côte. Avec sa mère, elle avait passé plusieurs années dans cette mission. A l'époque, Tatesh et les enfants n'existaient pas, et toutes deux venaient des îles marécageuses. Elles étaient à Abingdon depuis que sa mère avait laissé une main dans la gueule d'un phoque. Sa mère ne pouvait plus ramer ni sortir pêcher. Quand on avait commencé à murmurer à son sujet, elles avaient décidé de se transporter chez les Dobson.

Camilena venait d'avoir neuf ans. A l'époque, elle avait vu asphyxier une vieille avec de la fumée, au cours d'une de ces tempêtes funestes qui avaient chassé son peuple de la mer pendant des semaines entières. Quand la situation était devenue vraiment tragique, certains désespérés avaient commencé à se débarrasser des gens qui n'allaient jamais à la pêche. "Moi, ils ne m'auront pas", avait dit sa mère cette nuit-là, tout en préparant leur fuite. Cela s'était passé avant Abingdon et avant de connaître Tatesh, quand elles vivaient encore au Pays des Pluies Perpétuelles.

Lorsqu'elle se réveilla pour la dernière fois, il faisait jour et toute la famille était en train de manger. Les moules fumaient sur la braise. L'odeur de pain frais indiquait qu'ils avaient reçu de la visite. "La veuve vient de partir", se dit Camilena, tout en remarquant l'immanquable plat de porridge que la veuve distribuait aussi à ses protégés et aux convalescents. Elle se souvint de la manière dont ses enfants crachaient discrètement la bouillie aqueuse et salée pendant les petits déjeuners d'après le culte. La miche dorée était à côté du plat. Sa présence la remplit de joie. Elle n'en avait pas mangé depuis une éternité. Camilena pétrissait seulement une sorte de gâteau dur fait avec des graines sauvages et elle appréciait parfaitement la différence. Le pain de la veuve avait une croûte craquante et, quand elle le sortait du four, elle le frappait avec la jointure des doigts pour décider s'il était à point.

Ses enfants dévoraient les moules avec des grands bruits de succion. Après chaque bouchée, ils lançaient les coques vides à travers l'entrée. Le petit mangeait à peine, fasciné par le réveil de sa mère. Il souriait du coin de l'œil, décidé à garder le secret. Puis ce fut le tour d'Isabela, qui leva en cachette sa poupée pour que Camilena la voie. Camilena lui adressa un sourire et sa fille se trémoussa avec fierté. Alors Tatesh poussa le pain pour le mettre à sa portée. Camilena y mordit avec un gémissement de plaisir.

Plus tard, Isabela lui amena le petit sans nom :

— Il s'appelle Lucca, dit-elle.

Camilena soupira. Elle en profita pour lui nettoyer la bouche avec un tampon de mousse. Puis elle embrassa sa gamine. Isabela s'était enfin décidée. "Lucca", pensa Camilena. C'était un nom court et joli, elle en était émue et avait un peu envie de rire. Elle allait le dire à Isabela quand Tatesh se mit à dévider une histoire d'oiseaux qui entraient dans les baleines et leur mangeaient le cœur.

Camilena en perdit tout de suite le fil. Elle se disait qu'elle devait voir la veuve d'urgence. Ils avaient besoin d'une attestation de connaissance qui leur permettrait de quitter cette terre néfaste.

La veuve déclara qu'elle ne leur donnerait pas l'attestation et qu'ils ne pourraient pas non plus rester. Elle dit cela tout en découpant un morceau de gâteau sur la table où le révérend, pendant plus de trente ans, avait posé la lanterne magique. Tatesh refusa la portion et garda un silence obstiné. La veuve se retrouva sans arguments. Quand il fut évident que Camilena ne viendrait pas non plus à son secours, elle lissa sa jupe et leva les yeux au ciel. Camilena aurait voulu la réconforter, lui réciter un psaume ou, au moins, lui faire savoir qu'elle avait aimé le gâteau. Mais son mari semblait furieux, et il fut impossible de rompre le silence qui s'installa.

Ils avaient finalement droit à un peu de soleil, après l'averse du matin. Sur la plage, de nombreuses femmes paressaient au bord de l'eau. La nouvelle de l'agression bouleversait la côte et continuait de pousser les gens vers Abingdon. Il ne se passait pas une matinée sans que l'on vît surgir un nouveau kauwi près de la maison. Même les vieilles baraques de tôle étaient réoccupées. La vieille sentit son départ menacé. Elle réunit tout le monde pour les informer de son voyage, mais personne ne parut s'en émouvoir. Elle pensa qu'elle était clouée à cet endroit, et qu'elle ne pourrait jamais leur dire qu'elle devait fermer la mission et ne reviendrait probablement jamais. Mais elle finit par le faire et leur mutisme la mit hors d'elle. Elle se dit que ces gens-là, quand ils voulaient partir, ne lui en demandaient jamais la permission. Et si, en fin de compte, elle partait pour de bon ? Eh bien ! il ne se passerait rien. Après tout, là où ils se trouvaient, ils étaient à l'abri des chasseurs de phoques.

Mais Tatesh n'avait pas l'intention de rester. Il était las du Sud et rêvait de sa terre. Il en avait assez des chasseurs de phoques et des compatriotes de Camilena. Comme tout les Parrikens, il était mal vu des Canoeros. De sorte que le départ était décidé et qu'il ne leur manquait que ce papier pour s'assurer une marche tranquille.

La veuve en fut toute remuée. La confiance de Tatesh dans l'attestation de connaissance était exagérée. Elle tenta de lui ôter cette idée de la tête, pressentant qu'ils seraient attaqués. Elle finit par s'avouer vaincue. Tatesh sortit en claquant la porte.

Dehors, les enfants criaient.

Camilena prit sur le buffet un numéro du *Missionary Herald*. Elle ne savait pas lire mais elle aimait bien le feuilleter. Il y avait là vingt-cinq revues dans un ordre parfait. Peu de chose avait changé depuis la mort du révérend. En d'autres temps, Camilena avait l'habitude de rester au fond de l'assemblée des fidèles afin de regarder les revues, tandis que le pasteur s'époumonait pour imposer son sermon au-dessus du tumulte habituel. Les hymnes n'étaient chantés que par un petit nombre, mais ils servaient à rétablir le silence, quand tout le monde se rassemblait autour de la veuve pour guetter le mouvement de ses doigts sur les touches. Régulièrement, une bagarre éclatait et les Canaliens couraient la régler dehors, oubliant que le moindre incident suffisait à bouleverser le révérend. Le pire c'était d'entendre durant le culte la sirène d'un bateau ou les cris des mouettes frôlant l'eau qui indiquaient l'arrivée d'un banc de sardines. Cela s'était justement produit au cours du thé du Jubilé de la reine, auquel assistaient le gouverneur et l'état-major du *Pylades*. Les deux drapeaux étaient déployés derrière la table, avec des panneaux qui proclamaient *God save the Queen* et *Viva la República* en lettres taillées dans des écorces. Le pasteur avait célébré l'événement tandis que le gouverneur transpirait de contentement. A la fenêtre, les autochtones chrétiens avaient entonné le *Jesus Shall Reign*. Tout se serait passé parfaitement s'il n'y avait pas eu l'arrivé des sardines.

Pour l'heure, Camilena lui faisait des reproches :

— Qu'est-ce que ça te coûtait de lui donner le papier ?

Elle lui dit cela en baissant les yeux, tout en tournant la page avec son doigt mouillé. Elle s'arrêta sur un titre fastueux décoré de fougères et de palmiers : *"Mr Francis Dobson Writes From South America."*

— Ton mari est un ignorant, répliqua la veuve. Ces certificats étaient faits pour aider les naufragés.

Mais, à son tour, Camilena refusait d'entendre raison.

— Nous en avions un, se lamenta-t-elle. Mais Isabela l'a avalé quand elle était petite.

Une Canoera très belle avec un bébé dans les bras souriait sur le *Herald*. Les illustrations de la revue ne les flattaient jamais, mais cette fois il s'agissait d'une photo. Sur la page suivante il y avait un dessin montrant trois hommes en train de pêcher, bouches énormes et tignasses en désordre. La légende indiquait : *Natives in Bark Canoe.* Camilena ne reconnut que le dernier mot.

— Vous aviez une attestation de connaissance ? disait la veuve.

— C'est le révérend qui me l'avait donnée, affirma Camilena.

La veuve eut un sourire de mépris, pendant que Camilena la regardait avec une certaine terreur.

Le papier ne l'intéressait plus. En tournant la page, elle découvrit un paquebot luttant contre les lames et elle décida de l'emporter pour Jaro. Elle arracha les illustrations en cachette. La veuve gardait les yeux fermés. Camilena lui tendit la revue pour vérifier si elle dormait.

— Ça te plaît ? demanda-t-elle.

Mais la veuve était déjà très loin. Après avoir passé l'après-midi à l'Union missionnaire, elle revenait à la maison avec son mari par un sentier bordé de graminées odorantes. Elle était mariée avec Dobson depuis six mois. Ils s'arrêtaient un moment dans le parc et ouvraient un paquet de petits pains. Ils discutaient du futur voyage en Amérique du Sud. Dobson dessinait la mission sur le papier des petits pains. On voyait un groupe de Canaliens qui chantaient des hymnes et un paquebot à l'horizon. Les Canaliens figuraient comme des "naturels amicaux" dans toutes les publications de l'Amirauté, si bien qu'il ajoutait un autochtone en train de faire des cabrioles. Sa femme le suppliait de mettre aussi un potager. Dobson dessinait le potager puis quelques moutons. Il était également tenté de dessiner le cimetière, mais il y renonçait au dernier moment. Elle étudiait attentivement le dessin et concluait que rien n'y manquait. Elle essayait vainement de trouver une quelconque ressemblance avec son village du Sussex. Mais elle lui proposait quand même : "Appelons-la Abingdon." Emue, elle pensait : "Le Seigneur est mon berger."

Plus de trente ans, déjà.

Elle ouvrit soudain les yeux et sourit à Camilena.

Dehors, deux Canoeras disputaient une course à la nage. Quelques brasses suffirent à la plus jeune pour prendre la tête. Sur le rivage, les spectateurs se turent. La petite fille du paquebot les examina attentivement, cherchant chez eux un quelconque signe d'envie. Mais les hommes ne bronchèrent pas. Quand la course fut finie, ils revinrent à leurs discussions nonchalantes. La petite fille du paquebot dit :

— Ainsi, ces hommes ne savent pas nager…

— Non, dit son père.

— N'est-ce pas étrange ? demanda Federica.

— Elles se gardent bien de leur apprendre.

— Et les femmes, comment font-elles ?

— C'est leur mère qui leur apprend.

— Qu'est-ce qu'elles ont contre les garçons ?

— Rien. Mais elles ne veulent pas que les hommes apprennent.

— C'est ridicule.

— Je crois que oui.

— Et pourquoi ?

— Je ne sais pas. C'est une très vieille histoire. Je crois qu'elles se vengent de certaines vilenies qu'ils leur ont fait subir.

— Moi aussi j'ai appris avec maman.

— Elle avait beaucoup de patience.

— Selcha dit qu'il sait nager.

— Selcha est un vantard.

— Il dit qu'il peut traverser la baie.

— Tu parles ! Ce type se noierait dans une flaque de pipi.

— Je n'aime pas Selcha. Son kauwi est le plus puant que j'ai vu de ma vie.

— Tu devrais aller à Paris.

— Nous irons un jour ? Je voudrais prendre le métro.

— En été c'est pire que le kauwi de Selcha.

— Ici, personne ne le supporte.

— Selcha déteste tout le monde.

— Voilà Camilena. Quels beaux cheveux elle a...

— Elle est trop jolie pour être une Canoera.

— Plus jolie que maman ?

— Maman était différente. Mais plus jolie que Camilena.

— Tu aimerais te marier avec elle ?

— Camilena a un mari et je suis trop vieux pour elle.

— Ce n'est pas sûr.

— J'ai cinquante ans. Elle pourrait être ma fille. Ta sœur.

— Camilena a vingt-huit ans.

— Tu te rends compte ?

— Alors, j'aimerais être la sœur de Camilena.

— Tu ne vas pas te baigner ?

— Baignons-nous ensemble. L'eau est bonne.

— Impossible.

— Allez, papa...

— Je vais marcher un peu.

— *Ciao !*, papa.

Le docteur la retint :

— Tu sais que nous partons demain ?

— Bien sûr. Río Agrio, ça ressemble à ici ?

— Pas beaucoup. C'est tout plat. Il n'y a pas de Canoeros : il y a des Parrikens. C'est plein de moutons. Nous n'y resterons que deux jours.

— La veuve dit que les moutons sont une malédiction.

— Oui. Elle est au bout du rouleau.

— Mais son mari aimait cet endroit. Et il aimait aussi beaucoup Camilena.

— La veuve t'a dit ça ? demanda le docteur avec méfiance.

Mais dans les yeux de sa fille il n'y avait rien d'équivoque. Peu de chose lui manquait pour devenir une femme et le docteur se disait que cela pourrait se produire n'importe quand, et qu'elle ne serait pas avec lui les prochains étés.

Federica s'était arrêtée et bavardait avec les femmes. Le docteur était fier de la beauté de sa fille. Les Canoeras lui avaient offert un oursin que Federica goba avec avidité. Dotée d'un remarquable appétit, elle était capable de manger n'importe quoi. De plus, elle était mince comme un brin d'osier et n'avait jamais le mal de mer, ce qui lui permettait de profiter comme personne de la somptueuse nourriture du paquebot qui les amenait tous les ans. Le docteur allait la chercher en novembre pour prendre le premier bateau qui relâchait à Valparaíso. Une année, le bateau avait tardé plus que de coutume et ils avaient passé les fêtes à bord mais, en général, ils arrivaient à temps pour fêter Noël à Sandy Point. Il y avait un pianiste à bord et, comme tous les paquebots, le bateau était équipé pour servir à manger aux passagers toutes les quatre-vingt-dix minutes. Federica mangeait très mal durant l'année et s'était promis de faire face, un jour, à tous les repas réglementaires. La nuit, du haut de sa couchette, elle faisait le compte de ses manquements : "Aujourd'hui, j'ai sauté le consommé de onze heures et les sandwiches à la langue. Hier, j'ai laissé le hors-d'œuvre." Mais le docteur avait une grande confiance en sa fille et savait que sa victoire ne tarderait pas. Entre chaque repas les passagers essayaient de rester sur le pont, mais ils en étaient toujours chassés par le mauvais temps. Le spectacle des canaux ne leur remontait guère le moral et les capitaines s'efforçaient de les distraire. L'un des plus imaginatifs était le capitaine du *Pylades*, qui connaissait les moindres recoins abritant des Canoeros.

Le docteur posa sa nuque sur le sable et essaya de profiter de l'été. Combien lui restait-il d'étés ? Il n'avait pas de raisons d'être pessimiste, mais il y pensait souvent. Quelques années auparavant, alors qu'il prenait le soleil avec sa fille, il avait été saisi d'une douleur lancinante. Il avait immédiatement diagnostiqué une syncope, mais son pouls restait calme. Federica jouait au bord de l'eau. Le docteur s'était palpé prudemment l'abdomen. La voix de sa fille lui parvenait mais, terrifié, il n'arrivait pas à lui répondre. Il avait attendu sans bouger, contrôlant la vigueur de son pouls. La douleur persistait. Il avait fait courir ses doigts sur son flanc droit et rencontré quelque chose de dur. Federica n'arrêtait pas de l'appeler. Assise sur ses talons, elle le regardait avec étonnement. Il avait encore essayé de lui parler, mais il ne pouvait lever le bras. Seuls ses doigts restaient actifs, tentant de déchiffrer le mystère. Il avait de nouveau vérifié son pouls. Le docteur était trempé de sueur et probablement très pâle. La peur le quittait et la douleur commençait à disparaître. Sa fille était arrivée lentement, troublée par son silence. Le docteur était parvenu à se lever et lui avait tout de suite tendu les bras. Federica avait retrouvé le sourire et couru gaiement. La douleur était partie sans laisser de trace et ne s'était pas répétée mais, même si le docteur avait appris à ignorer les élancements diffus et les symptômes indéfinis, ceux-ci l'avaient rempli d'interrogations.

Plus d'une fois il avait pensé que, quand viendrait le moment, il saurait se comporter avec dignité. Pourtant, ce jour-là, il s'était laissé terrasser par la peur et il récidiverait sûrement. De tous les gens qu'il avait vus rendre l'âme, il retenait son vieux professeur de clinique : "Qui sait comment se passera cette nuit ?" l'avait-il entendu dire ce soir-là. Le professeur reposait dans sa chambre, la couverture sur les épaules. A l'aube, il l'avait prévenu : "Je vais entrer dans le coma." Le docteur avait protesté : "Ne dites pas cela." Le vieil homme l'avait fait taire. Dans ses cours non plus, il ne tolérait pas les interruptions. Il avait demandé à son disciple d'approcher. Le docteur transpirait, car le vieil homme savait tout ce qui était en train de se produire et le lui révélait avec une précision fantastique. "Dans quelques minutes", avait insisté le vieil homme. Et, immédiatement après, il avait annoncé : "J'ai déjà perdu la vue." Il l'avait prié de l'ausculter. "Vous constatez ?" avait déclaré le vieil homme de sa voix habituelle (celle de chaque matin, quand il parcourait la salle avec tous ses médecins). Maintenant, il signalait les symptômes avec une totale simplicité. Le docteur s'était seulement risqué à lui prendre la main. Il était épouvanté de le voir ainsi.

Les femmes criaient au bord de l'eau ; apparemment, quelqu'un avait rencontré le Cuero. Il ne se passait pas de jour sans que cette créature maléfique n'essaie d'entraîner une femme au fond de la mer. Le docteur n'aurait jamais osé discuter son existence. Les Canaliens appréciaient beaucoup le docteur et manifestaient leur contentement lorsqu'il passait par Abingdon. Ce matin-là, ils lui avaient donné à goûter leur remède favori : de l'eau avec des fourmis pour les problèmes cardiaques. Le docteur avait incliné la jarre sans faire de grimace, en tentant de laisser les fourmis à l'extérieur.

Mais cette fois ce n'était pas le Cuero. Federica arriva hors d'haleine. Elle était très pâle.

— Oh ! papa. Il y a un enfant qui est en train de mourir.

Le docteur courut, convaincu de l'inutilité de son intervention. Une femme s'était jointe à lui. D'une autre direction, la veuve arrivait aussi en courant. On lui criait de faire vite et le docteur pressa le pas.

Il courait, pris par l'urgence pathétique de son office. Une nuit, à Sandy Point, il avait sauvé la vie à une femme qui s'étranglait. C'était dans la salle à manger de l'hôtel d'Espagne. Elle était par terre et pédalait dans le vide pendant que son mari essayait de lui faire de l'air. Le docteur avait enjambé les tables, avait écarté le mari de son chemin et extrait un morceau de viande avec le manche d'une cuillère. La femme avait fini par se remettre et, plus tard, ils étaient passés le remercier. Le docteur avait découvert que le mari était médecin. L'homme semblait déprimé : "Vous allez penser que je suis un incapable, lui avait-il confié avant de prendre congé. Pourtant, je me considère comme un bon médecin. Mais j'étais mort de peur." Dans le souvenir du docteur, seule la rapidité de ses jambes avait sauvé cette femme de l'asphyxie.

Les Canoeros lui ouvrirent le passage. Il y eut un murmure d'espoir. Un petit gisait sur le sable. Federica le regardait, fascinée : les enfants de ce peuple étaient plus beaux que toutes les autres sortes d'enfants. Le docteur comprit qu'il était mort avant même de poser la main sur lui, bien que personne ne s'en soit encore rendu compte. Tous attendaient avec confiance. Mais pour le médecin c'était évident, même un infirmier novice aurait pu le dire.

Pourtant il effectua les gestes habituels du praticien, question d'instinct. Le pouls de la carotide avait disparu. Le docteur appuya sa tête contre la poitrine et l'y laissa, dans l'attente d'un battement lointain. Mais le battement ne vint pas.

Ils ne le quittaient pas des yeux. Tous voulaient suivre ses mains. Les femmes paraissaient les plus affligées. "Laquelle est la mère ?" se demandait-il. Quelques jours plus tôt, un autre enfant était mort. Le docteur eut un pressentiment.

— Il est mort ? questionna la veuve.

Le docteur acquiesça, tandis que les femmes s'écartaient en pleurant. Au moment où il pensait de nouveau à la mère, il la découvrit juste à côté de lui. C'était une toute petite femme, probablement encore une enfant. La seule qui ne pleurait pas.

La veuve chuchota :

— Il y a un autre enfant malade dans le kauwi.

Le docteur se redressa. Les Canoeros se retiraient peu à peu. La femme s'assit par terre. Les autres abandonnaient la plage, comme les puces qui quittent un oiseau mort. Comme en jouant, elle balaya de sa main une poignée de sable et en couvrit la paume de son fils. Puis elle regarda les vagues. Le docteur sentit le bras de Federica sur son épaule. Quelques minutes plus tôt, alors qu'ils bavardaient sur la plage, elle lui avait confié :

— Camilena dit que chaque fois que trois enfants meurent, un fantôme se forme.

Ils détestaient la fumée du kauwi. Par temps de bourrasques ils pleuraient jusqu'à épuiser leurs larmes. Isabela était la plus affectée. De temps en temps elle sortait la tête et se rafraîchissait les paupières avec de la neige fondue. Mais, malgré la fumée, ils cherchaient tous à demeurer près du feu. Dans le kauwi, il n'y avait pas deux nuits semblables. Il pouvait arriver que la victime d'un cauchemar roule soudain en direction des flammes, ou qu'une braise perdue tombe sur la tête de quelqu'un, déclenchant l'affolement. D'autres nuits s'écoulaient paisiblement. Si personne n'avait envie de parler, ils restaient à regarder le feu. Là, soudain, un groupe de fourmis surgissait sur la pointe d'une bûche. Cela les excitait beaucoup. Ils observaient leurs manœuvres désespérées, et les paris faisaient rage.

Presque toujours le bois était humide ou vert et dégageait une intense fumée. Mais, par beau temps, le kauwi tirait très bien et il suffisait de rester couché pour se libérer de la fumée. Quand Tatesh leur révéla ce secret, ses enfants eurent un sourire heureux. Tatesh ne perdait pas une occasion de les étonner. Il pouvait tresser une ligne pour la pêche avec des cheveux de femme et tailler des pointes de harpon dans un morceau de verre.

Parfois ils profitaient du mauvais temps pour parler du pays de Tatesh, où les nuits étaient si calmes que les flamants se réveillaient les pattes prises dans la glace de leurs étangs. Les montagnes étaient loin de la mer et on atteignait la côte en traversant les prairies. Du rivage, on apercevait les phoques qui se berçaient dans les vagues. Les falaises regorgeaient d'oiseaux. Ces macareux avaient le sommeil lourd et l'on pouvait les tuer sans que les autres ouvrent l'œil. Certains avaient le bec barbouillé de couleurs et étaient plus savoureux que n'importe quel autre oiseau. En général, ils dormaient dans des endroits difficiles d'accès et il fallait s'attacher à une corde pour descendre les chasser. Il était donc impossible de disposer des deux mains et on devait les tuer d'un coup de dents dans la nuque.

Tatesh racontait ces choses les jours de tempête. Ses enfants l'écoutaient en silence et essayaient d'imaginer les flamants rivés par la glace et les gros oiseaux dodelinant de la tête sur les corniches. Tatesh les incitait à écouter la tourmente et affirmait qu'ils lui baiseraient les mains le jour où il les emmènerait d'Abingdon.

Les Canaliens aimaient les discussions. Grâce à elles, Tatesh maîtrisait la langue de sa femme et était devenu un vrai conférencier. Certains pensaient que le jargon des Canoeros s'était affiné à cause du mauvais temps et que l'habitude des longues conversations d'après les repas avait fait d'eux les détenteurs d'un langage fleuri que même le vieux Dobson leur enviait. Les Canaliens inventaient continuellement des mots, quitte à ne plus s'en resservir. Rien n'indiquait non plus qu'ils se comprenaient parfaitement entre eux, mais cela leur permettait en tout cas de passer agréablement les jours de pluie.

Le révérend ne tarissait pas de commentaires. "Ils parlent tous en même temps, avait-il dit une fois à sa femme. Et personne ne s'occupe de ce que dit l'autre." Il venait de passer l'après-midi avec eux et semblait encore troublé. Sa femme avait souri mystérieusement. "Comme les premiers chrétiens", devait-elle penser par la suite, tout en observant les kauwis par la fenêtre. Pour elle, c'était très clair. A la ressemblance de ces chrétiens de tous pays s'efforçant de communiquer entre eux dans un langage spontané que leur dictait le Seigneur, les Canaliens façonnaient leur jargon à la faveur des intempéries. Sauf qu'ils ne parlaient pas exclusivement pour se comprendre mais pour le pur plaisir de parler.

La veuve prétendait alors que la voix des Canaliens était si douce que leurs discussions sonnaient comme un poème d'amour. Avec les Parrikens, c'était le contraire. Aussi son mari disait-il : "Je préfère les Canaliens qui traitent leur mère et leur grand-mère de putain, plutôt que de supporter un Parriken amoureux."

La veille du départ s'écoula très lentement. Le feu brûlait paisiblement et la fumée s'échappait par le faîte du kauwi. Une vache paissait devant l'entrée. A minuit, la lune apparut et la veuve s'attaqua au piano. Camilena se disposa à faire l'amour mais, auparavant, elle demanda à son mari si cela valait vraiment la peine de quitter Abingdon. Tatesh se mit en colère, comme cela lui arrivait quand il ne trouvait plus ses mots. De sorte qu'ils restèrent immobiles, en écoutant les hymnes et les mazurkas qui leur parvenaient de la maison. Plus tard, tandis que Jaro parlait dans son sommeil, Tatesh mit une bûche dans le feu. Il pensa aux chasseurs de phoques et aux deux enfants morts, et décida que tout irait de mal en pis. Personne ne sortirait vivant d'Abingdon. La peur l'effleura comme l'aile d'un oiseau de nuit et lui fit même oublier ses projets de vengeance. Quand, finalement, il parvint à s'endormir, la mission était dans les ténèbres, le vent soufflait de nouveau et il y avait de la fumée dans le kauwi.

Après s'être beaucoup retournée, Camilena dormait aussi. Son mari lui avait reproché de se comporter comme une guanaca. Cela l'avait comblée de plaisir. Elle pensait souvent à ces femelles difficiles qui se prosternaient avec soumission et attendaient le mâle avec des soupirs, mais non sans l'avoir fait courir d'abord pendant des heures avant de se laisser monter, sans cesser de grogner et de cracher tout le temps.

Mais, à cause du piano et de la vache qui paissait près du kauwi, son sommeil dura très peu et fut assailli par les souvenirs. Pour la première fois depuis des années, elle se réveilla en pensant au vieux Dobson. La musique s'était tue et la vache était partie. Alors, juste à l'entrée, elle sentit la présence du révérend, reconnaissable entre toutes. Camilena n'osa pas se retourner, comme si la main noueuse et furtive allait venir la dénuder. Depuis longtemps Dobson n'était plus de ce monde, aussi fut-elle surprise par la précision de son illusion. Il en était peut-être allé ainsi autrefois, y compris le piano et la vache aux alentours. Peut-être le révérend avait-il débarqué, une nuit, en profitant du concert. Peut-être sa mère était-elle sortie discrètement du kauwi à l'arrivée de Dobson. Ou peut-être le silence les avait-il surpris pendant qu'ils faisaient l'amour, raison pour laquelle, maintenant, le sortilège ressuscitait au moment où s'éteignaient les notes. Mais, cette fois-là, la veuve avait entonné *A Toi la gloire* et Dobson s'était retiré en hâte de son corps, pendant que la musique remplissait la nuit et que Camilena laissait échapper un soupir.

Elle pensa de nouveau au voyage vers le pays de Tatesh. Ils seraient bientôt à Lackawana pour la grande chasse. Elle ne pouvait s'imaginer ce lieu, malgré les récits de son mari. Les enfants ne parlaient que de ça. Quand la pluie redoublait et que Tatesh se mettait à parler, ils laissaient tout et prenaient le chien dans leurs bras en ouvrant de grands yeux, transpirant sous le quillango, effrayés mais heureux, suspendus à ce voyage vers le pays des nuits douces où leur père avait tué la bête qui broyait les canoës et en emportait les petits enfants.

III

LES NAUFRAGÉS DU *TALISMÁN*

Le patron (au centre, en bas)

Il y avait un kauwi dans la plaine, peut-être abandonné. Le vent fouettait les hauteurs et le patron annonça qu'ils allaient descendre. Il se mit immédiatement en route, car il ne fallait jamais laisser aux gens une chance de discuter un ordre. Joaquín Palabra le laissa s'éloigner de quelques mètres et finit par lui emboîter le pas. Il décida qu'il commençait à le détester.

Là-dessus, la neige se mit à tomber. Le patron se demanda s'ils étaient bien en mars et si le temps n'allait pas tourner différemment de ce qu'ils pensaient. Il rentra son menton dans le quillango. Affublé de cette peau, il présentait un aspect des plus étranges. Après avoir lutté inutilement pour le porter comme un Parriken, il l'avait truffé de boutonnières et, du coup, le quillango lui ceignait le corps comme un manteau de luxe. Il avait à la main un fusil rouillé avec deux balles dans le canon. Les probabilités qu'il puisse encore tirer étaient faibles.

Joaquín Palabra n'avait pas de quillango. Il marchait en vacillant derrière son patron, avec deux peaux de renard sur les épaules et un pantalon en loques. Ils avaient pris ces effets à un vieillard et le patron s'était attribué le quillango. C'était un vêtement remarquable, fait de peaux de bébé guanaco habilement cousues.

S'il n'y avait eu les boutonnières où passait du fil de fer, les dames de n'importe quel paquebot se seraient entretuées pour cette cape. Mais le patron n'avait plus la tête à faire des affaires. Ses misérables illusions avaient sombré avec son bateau. Il ne lui restait qu'à marcher, sans personne pour le réchauffer.

Le kauwi était vide, mais il avait été visité. Le patron supposa qu'il s'agissait de chasseurs de phoques, à cause d'une bouteille qu'il trouva dans le foyer. L'émotion de la découverte les réunit à nouveau. Ils jouirent de leur optimisme naissant, jusqu'à ce que la nuit vienne et que le patron remarque que les Canoeros fabriquaient leurs pointes de harpon avec les bouteilles apportées par les vagues. Puis il se recroquevilla sous le quillango, ravi d'avoir terrifié Joaquín. Après cela, ils n'échangèrent plus un mot. Hébétés par le froid, ils affrontèrent la nuit interminable. Ils ne parvenaient pas à fermer les yeux, obsédés par la bouteille de sauce Perrins qui luisait sur le foyer éteint.

La tempête commença à l'aube. Le patron sentit l'air salé et imagina la surface de la mer s'envolant en copeaux blancs. Puis il rumina tous les sujets que peut inspirer une tempête déchaînée. Il pensait au *Talismán* et à la vie qu'il aurait menée à bord d'un paquebot. Mais il pensait surtout à la femme de la plage.

Mateo lui avait reproché de la laisser en vie, en regardant avec stupeur ses mains déchirées par les morsures. "Celle-là, je n'aimerais pas me retrouver sur son chemin", avait-il déclaré pendant qu'ils la voyaient ramper jusqu'au bois. Le patron était aussi épuisé que s'il avait passé la nuit avec elle. Il la sentait encore dans son ventre, se tortillant comme une couleuvre sous son corps. Comme il n'avait pas réussi à la pénétrer, il s'était mis de côté pour laisser Mateo l'assouplir. Celui-ci l'avait frappée au ventre et le patron avait essayé de nouveau. Elle ne semblait plus aussi dangereuse, de sorte qu'ils lui avaient lâché les bras. "Allez-y !" avait crié Mateo. Mais toute l'énergie de cette femme s'était concentrée entre ses jambes serrées. Mateo l'avait de nouveau frappée. Cette fois, le patron n'avait pas pris la peine de se déplacer. "Continuez !" avait dit Mateo. Mais, avec le vieux sous le nez, c'était difficile de faire les mouvements commandés par Dieu. Le patron avait quand même continué en ahanant, tandis que Mateo la surveillait, indigné. Soudain le patron avait eu l'impression que Camilena se rendait. A ce moment, alors que la voie semblait dégagée, il avait tout répandu à l'extérieur. Du coup, il avait vu rouge. Il s'était relevé et s'était mis à la piétiner. Il n'avait jamais piétiné personne dans sa vie et s'était demandé ce qui lui arrivait, quand il avait été arrêté par l'idée qu'il pouvait la tuer. Mais il avait eu du mal à empêcher Mateo de l'achever.

Aujourd'hui, le patron reconnaissait son erreur. Selon Joaquín, c'était cette femme-là qui les avait menés au désastre. Il pensa que cette garce obstinée ne les laisserait pas parvenir à destination.

Le patron était un individu imposant et, même en s'y prenant comme ils l'avaient fait, il avait eu du mal à se maintenir sur elle. "Il n'y a rien de plus résistant qu'une femme couchée", avait-il avoué à Mateo. "C'est comme une brique dans un mur", avait admis le vieux. Au fond, Mateo semblait content. La nuit suivante, il avait rêvé de cette femme, il la tenait dans ses bras et lui aussi avait tout lâché.

Le problème, c'était qu'ils ne connaissaient cette île que de l'extérieur. Dans les années où ils fréquentaient ses eaux, ils descendaient rarement à terre. Parfois, quand le mauvais temps redoublait, ils projetaient une marche vers la cordillère de la Fumée mais, le moment venu, ils restaient à bord.

Ils vivaient en allant de coup de tabac en coup de tabac, condamnés à chercher un mouillage nocturne pendant qu'il faisait encore jour. Le patron pouvait reconnaître un bon mouillage au premier coup d'œil, mais il leur fallait attendre des heures avant d'en trouver un et souvent la nuit les prenait en train de naviguer. Les meilleurs mouillages se trouvaient près de versants calmes qui s'achevaient en plages de sable. La plupart du temps, ils devaient se contenter de falaises à pic où il fallait se coller contre les rochers pour toucher le fond. Personne ne faisait plus confiance à l'ancre et ils tendaient des amarres entre le bateau et les arbres. Des nuits comme celles-là, ils ne fermaient pas les yeux et, dès l'aube, ils appareillaient en vitesse.

Même par temps calme, ils restaient en alerte. Leur vie dépendait d'une avalanche. Rien ou presque ne prévenait de son déclenchement : ni nuages prémonitoires, ni oiseaux annonciateurs. S'ils naviguaient loin de la terre, ils pouvaient voir à l'avance la chape d'eau pulvérisée. Mais en général elle tombait de la montagne avec un bruit d'arbres brisés. Les vallées étaient les meilleures voies pour les avalanches, car c'était là qu'elles atteignaient toute leur furie. On disait qu'une avalanche, quand elle s'emballait, pouvait freiner un paquebot. Mais personne n'avait jamais vu un paquebot en difficulté. S'ils ne trouvaient pas un mouillage, les paquebots faisaient du sur-place en laissant tourner leurs machines sans reculer d'un centimètre. Au pire, ils envoyaient une chaloupe à la côte pour allumer un feu comme repère.

La terreur des chasseurs de phoques était que le mouillage lâche ou que des courants croisés rendent la barre inutilisable. Les patrons craignaient aussi les récifs cachés par les cachiyuyos. Personne n'était certain de l'emplacement des rochers, car la taille de ces algues pouvait atteindre des douzaines de mètres et elles ondulaient avec la marée. Seules les Canoeras savaient à tout moment combien de fond il y avait dessous et si cela valait la peine de plonger à la recherche de poissons.

La femme du canoë les avait fait aller droit dans la vase. D'abord elle avait maintenu sa distance par rapport à la barrière de cachiyuyos, comme si elle connaissait la peur que ces algues suscitaient chez les chasseurs de phoques. A cet endroit la houle finissait et des eaux calmes lui succédaient, de sorte qu'ils avaient suivi avec confiance le sillage du canoë. Mais ils allaient droit sur le banc. Quand le pont avait tremblé sous leurs bottes, le patron avait compris qu'ils étaient en passe de payer un prix démesuré pour la poursuivre. Une misérable Canoera pouvait vite les tenir à sa merci.

La bouteille du foyer appartenait à Jaro. Après avoir passé la nuit dans le kauwi, ils étaient sortis alors que le soleil était très haut. Jaro trébuchait de sommeil. Il avait découvert l'absence de la bouteille alors qu'ils étaient déjà loin, mais il ne dit pas un mot. Puis le terrain s'était élevé en pente douce et ils étaient arrivés à une sorte de plateau où il gelait toutes les nuits, bien que l'on soit encore à la mi-été. Ils étaient sur les contreforts de la cordillère de la Fumée. De l'autre côté commençait le pays de Tatesh. Ils n'avaient pas l'intention de franchir la cordillère, aussi prirent-ils par la côte. Pour Camilena, sa terre finissait là.

Tatesh prit de l'avance. Ses enfants ne l'aperçurent plus. Jaro transportait les montants du kauwi et Isabela était chargée de Lucca. Camilena portait les peaux. Seul Tatesh marchait sans fardeau, au cas où il verrait bondir un guanaco. Elle ne se plaignait jamais mais, depuis l'agression des chasseurs de phoques, ses forces n'étaient plus les mêmes. Elle avait passé plusieurs semaines d'angoisse. Et s'ils lui avaient fait un enfant ? Elle avait compris que Tatesh ne laisserait pas vivre le bébé, de sorte qu'elle s'était obstinée à garder son secret. Quand elle avait découvert qu'elle n'était pas enceinte, elle avait pleuré de soulagement, bouche close, dans la nuit. Elle avait fait, jusque-là, un effort terrible pour effacer de son esprit l'enfant des chasseurs de phoques.

Brusquement, Tatesh se retrouva face aux chasseurs de phoques et cela modifia tous ses plans. Leurs voix le firent sursauter, avec leur intonation abominable. Ils semblaient à portée de sa main, mais ils marchaient dans le fond de la vallée. Un jour normal, ils seraient passés inaperçus. Mais la neige piégeait les naufragés et leurs jacasseries résonnaient à ses oreilles.

Tatesh sourit de toutes ses dents. Il avait une dentition bien rangée, comme il convenait à un Parriken de trente ans. Ses incisives étaient ébréchées à force d'avoir tiré sur des tendons de phoque pour coudre les quillangos. Cela lui donnait un sourire d'enfant.

Il pensa qu'il les tenait au bout de sa ligne. De la hauteur, on dominait la vallée et la mer qui brillait au loin. Vers l'est, il y avait une anse avec de bons coquillages. Les bateaux qui allaient en Europe longeaient cette côte. On pouvait même les voir la nuit, quand ils passaient en lançant du feu. C'était à cette plage qu'allait Tatesh. Les intrus suivaient peut-être le même chemin. Maintenant ses projets avaient changé et il voulait seulement tuer les naufragés.

Le patron regardait la côte. Le temps s'était éclairci. Pour Joaquín, ils étaient près de l'anse du Nègre, une plage pleine de moules.

— Aujourd'hui je ne sais pas, parce qu'ils bouffent tout, ces salauds, dit-il en haletant.

Ils avaient franchi un autre épaulement, mais la mer se faisait attendre. Il se souvint de son dernier passage dans l'endroit.

— Avec Mateo, on a cueilli dix seaux de bernicles. Tu aimes les bernicles ?

— Elles me donnent de l'urticaire, dit le patron.

— Moi je les trouve plus fins que le *loco*.

— Je préfère le *loco*.

— D'accord, il y a aussi des *locos*. Il y a ce que tu veux. Des palourdes, des praires, des clovisses, des *quilmahues*, des oursins. Il y a des escargots de mer et des *piures*. Il y a aussi des cochons et des poules, si l'Espagnol vit toujours dans les parages.

— Les bernicles étaient pleines de cailloux.

— C'est vrai, il y en a toujours une ou deux qui ont des cailloux.

— Elles étaient dégueulasses. On ne peut pas manger n'importe quoi. Il vaut mieux les acheter aux Canaliens.

Sa voix n'était plus la même. Joaquín en fut alarmé et s'arrêta.

— Manuel : tu es de nouveau en rogne contre moi.

"C'est la faute à Mateo", pensa Joaquín. Il aurait mieux fait de ne pas prononcer son nom. "Qu'il aille se faire voir, soupira-t-il. Qu'est-ce qu'il veut que je fasse ? On a passé trois ans ensemble. Je ne peux pas m'empêcher de dire son nom."

Mais ce n'était pas ça. Le patron venait de voir les Canoeros. Deux silhouettes noires, plantées sur la hauteur. De toute évidence ils les suivaient, mais le patron garda le silence. Il ne voulait surtout pas entendre les jérémiades de son compère.

"Ce que ces bernicles étaient dégueulasses, rumina Joaquín un peu plus tard, alors qu'ils luttaient contre le sous-bois. Qu'est-ce qu'on va manger tout à l'heure, alors ? Il vaudrait mieux arriver de jour à l'anse du Nègre. L'arme que nous portons, c'est juste pour la frime, impossible de chasser avec. Nous n'avons même pas d'allumettes. Pourvu au moins qu'on trouve des coquillages." Le bois était devenu inextricable et, en une demi-heure, ils ne parcoururent que cinquante mètres. Le problème, c'étaient les arbres tombés. Ils peinaient énormément pour les franchir et pataugeaient dans les feuilles pourries.

Le patron se souvint : "A l'anse du Nègre, il y avait une barque échouée." C'était la vieille embarcation d'une estancia. Sur sa coque, les moules proliféraient. Les moules de bateau étaient célèbres, même si, régulièrement, quelqu'un y laissait sa peau. Les ignorants comme Joaquín attribuaient cela au doublage de cuivre, mais les moules de bateau sans doublage faisaient aussi des dégâts. Pourtant ça valait la peine d'y goûter, car rien n'était plus délicieux qu'une bonne moule de bateau.

Le patron fit halte. Aussitôt, son compagnon se laissa choir près de lui. La cervelle de Joaquín fourmillait d'images macabres. Il pensait au Canoero disséqué. L'année d'avant, il avait travaillé avec les naturalistes français. Cet été-là Joaquín avait récolté pour eux des insectes, blanchi des os à la chaux, emballé des douzaines de crânes et même injecté de l'alcool à une femme qui venait de mourir et qu'ils devaient expédier à Paris. Puis il avait assisté à la fin du Canoero et avait aidé à le disséquer.

Il avait passé les dernières heures avec lui. "Prévenez-moi dès qu'il sera mort," avait dit le chef. Les genoux de Joaquín flageolaient, il était resté avec le mourant sous une tente obscure pendant que les naturalistes mangeaient dehors. Il aurait voulu prendre ses jambes à son cou. Il se demandait ce qu'ils allaient exiger de lui ensuite. Ce n'était plus seulement comme de nettoyer de vieux os. Le Canoero respirait par saccades et ses doigts voletaient comme des oiseaux. Soudain, ses yeux s'étaient agrandis et il avait lancé des ruades. Joaquín s'était dépêché de donner l'alarme, mais le Canoero avait recommencé sa plainte insoutenable. Il s'était éteint brusquement au petit matin, sans autre difficulté. Les autres n'avaient pas attendu qu'il refroidisse pour le poser sur des planches. Joaquín ne perdait pas un détail. Il avait entendu que le foie était atteint et qu'il avait été tué par les moules.

Le chef avait planté le bistouri dans la gorge. Puis, d'une main ferme, il avait fait une incision jusqu'au nombril. Il n'avait pas répandu une goutte de sang. Juste un flot de graisse qui dégoulinait sur la peau.

Le ventre ouvert, la pointe du foie avait surgi. Ensuite, ils lui avaient découpé le sternum avec des ciseaux. Pendant qu'ils curaient la poitrine, Joaquín tenait les lambeaux de chair. Les côtes roses avaient sailli. Le chef avait pris un couteau et les avait tranchées sur les côtés. Il travaillait en chapeau et en bras de chemise. Il avait détaché la cage thoracique et l'avait posée sur le visage du mort. Après quoi ils avaient sorti les viscères. Joaquín mettait dans les bocaux les pièces qu'on lui passait. Le foie était rugueux et noir, de la taille d'un poing. Il avait crissé sous le bistouri qui le sectionnait. "Ce gentleman ne se privait de rien", avait murmuré le chef en mordant un cigare. Ils avaient tous l'air content. C'était peut-être quelque chose de ce genre qu'ils cherchaient. L'odeur qui flottait dans l'air était différente de toutes les odeurs connues. Ils avaient jeté des seaux d'eau sur le corps. Le Canoero avait les yeux ouverts et les pupilles voilées. "Regardez les yeux qu'il fait", avait dit le chef. Joaquín n'avait pas osé lui fermer les paupières. Quand ils eurent terminé, le jour était déjà levé.

Il ne restait plus qu'à le mettre dans l'eau. Joaquín l'avait traîné jusqu'à la rivière et l'avait entortillé dans un filet. Puis il lui avait lié les chevilles et l'avait immergé avec soin avant d'attacher la corde à un arbre. A cet endroit de la côte, l'eau était profonde. Même sous l'eau, ce salaud continuait à regarder. Des bulles étaient sorties de sa bouche. "Dans dix jours, il sera à point", avaient-ils expliqué. Mais Joaquín était venu le voir le lendemain et les poux de mer étaient déjà au travail. Au bout d'une semaine le squelette était tout propret dans le filet, les os encore attachés aux cartilages.

Le patron pointait vers le sentier le Mauser inutilisable. "Qu'est-ce qui se passe, bon Dieu ?" souffla Joaquín. Tout était silencieux. Le bois avait des allures de jungle, il y avait même des orchidées et des champignons orangés. Mais un tel calme était aussi insolite que les bandes de perroquets qui infestaient le bois enneigé.

Le patron le pria de ne pas ouvrir la bouche. Joaquín prit mal la chose. La peur lui donnait des fourmis dans la langue. Il voulait savoir s'ils étaient vraiment en danger ou si c'était une mauvaise blague de son chef. Il se souvint de la petite femme qui avait mis des pierres dans son vagin et décida qu'ils étaient en train de se rendre ridicules. Aussi insista-t-il pour qu'ils poursuivent leur chemin.

Le patron lui répondit par un bâillement. Au cours des derniers jours, son meilleur repas avait été une poignée de cachiyuyos frits dans du suif de chandelle. La famine marquait ses traits. Il avait constamment le hoquet et ses mâchoires se relâchaient. Il parlait tout le temps des moules et Joaquín ne parvenait pas à oublier le Canoero.

— Tu as vu comment ils mangent le poisson cru ? demanda le patron. Ça donne envie de dégueuler.

— Ma grand-mère était capable de manger deux couilles de chevreau au petit déjeuner, dit Joaquín. Elle aussi les mangeait crues, avec un peu d'ail haché.

— Mais c'est pas la même chose.

— Bien sûr.

— Faut pas confondre la merde et la confiture.

— Je me taperais bien un chevreau.

— Un chevreau, tout seul ça ne vaut rien, dit le patron. Faut être avec des amis.

— Mais nous sommes amis, non ? s'alarma Joaquín.

Le patron acquiesça. En dépit de tout il était bien, sous le soleil. Des falaises les protégeaient du vent. Pour l'instant, il désirait seulement un cigare. Finalement il se leva pour aller jeter un coup d'œil. Joaquín attendit son retour avec inquiétude. Ils avaient beaucoup erré pour trouver l'anse du Nègre. Le patron posa le Mauser entre ses jambes.

— Tu as vu quelque chose ? demanda Joaquín.

— Non. Mais ils nous guettent.

— Tu es sûr ?

— Je n'aime pas cet endroit. Ils ont le vent pour eux.

— Ils sont capables de nous sentir.

— Non. Mais ils vont nous entendre.

— Mais ils peuvent aussi nous sentir.

— Ces bâtards n'ont pas de nez. Tu as vu comme ils puent ?

— C'est vrai. S'ils avaient le moindre odorat, ils se tueraient entre eux.

— Quand on les mène à la messe, il faut laver l'église.

— Dis donc, Manuel : pourquoi ils s'acharnent contre nous ?

— Pour rien. Ils veulent juste nous tuer.

Joaquín le savait déjà, mais il pâlit quand même.

— Qu'est-ce qu'ils y gagneront ?

— Je ne sais pas. Ils ont tué un chasseur de phoques du *Tabalongo* pour un morceau de graisse qu'il gardait dans un sac en cuir.

Le patron ne le quittait pas des yeux. Joaquín avait l'air nerveux.

— On dirait que tes dents dansent dans ta bouche, dit enfin le patron.

Joaquín explora doucement sa bouche. Toutes ses dents branlaient. Il eut le sentiment d'une injustice, d'une disgrâce excessive pour quelqu'un qui avait autant souffert que lui.

— Tu le sors de sa coquille, tu le roules dans la cendre et tu le bats avec une baguette jusqu'à ce qu'il soit bien tendre, dit Joaquín. Après ça, tu le laves et tu le mets dans la marmite.

— A la mode de Cucao.

— Avec des petits oignons et du persil finement haché. Dis donc, Manuel : j'aimerais bien t'inviter chez moi.

— Le mieux, ça serait un dimanche.

— Le dimanche, il y a du *tomasazo*.

— C'est quoi ?

— Une spécialité de ma mère. Maman s'appelle Tomasa. Mon père adorait ce plat-là. Il disait que la meilleure affaire qu'il avait faite de sa vie, c'était de s'être marié avec elle.

— A quelle heure vous mangez ?

— A deux heures. Mais attention aux chiens. Ma maison est pleine de chiens.

— Moi je ne peux pas blairer les maisons où il y a des chiens.

— Alors il vaut mieux qu'elle sorte pour t'accueillir.

— Merde. C'est trop compliqué d'aller chez toi.

— Dans ce cas on prendra d'abord un vermouth au *Marinaio* et on arrivera ensemble.

— Si, en plus, il faut que je vous esquinte un chien…

— Mon père disait la même chose. C'est pour ça qu'il n'était presque jamais à la maison.

— Ne me parle pas de ton père.

— Le pauvre vieux.

— Dans ces conditions, ça ne vaut pas la peine de se marier.

— Les chiens ne respectaient qu'elle. Mon père refusait de faire un pas avant qu'ils soient tous attachés. Il y en avait un qui s'appelait Muchango et qui détestait papa. "Mais Francisco, disait ma mère, je t'ai déjà dit qu'il est châtré. – J'ai peur de me faire mordre, pas de me faire enculer", lui répondait mon père. Chaque fois qu'il venait à la maison, il disait la même chose. Aujourd'hui, il est mort.

— Ce sont les chiens qui l'ont tué.

— On l'a opéré de la poitrine. Il ne voulait pas se faire opérer, il disait qu'il allait en mourir. On l'amenait sur une civière, et il répétait la même chose. Alors le docteur l'a renvoyé. Il a dit à ma mère qu'il n'avait pas l'intention de l'opérer tant qu'il ferait chier le monde avec ça. Ma mère lui a fait des excuses, mais il n'a pas cédé. On a donc été forcé de convaincre mon père d'arrêter de déconner. Ils ont fini par l'accepter et il est mort pendant l'opération. Maman a pleuré une semaine entière.

— C'était la moindre des choses.

— Elle disait que c'était nous qui l'avions tué.

— Comme si vous l'aviez livré à Muchango.

Joaquín se mit à pleurer. Le patron eut des remords.

— Allons, Joaquín. Tu ne vas pleurnicher, maintenant…

Joaquín se dit que le patron était aussi dénué de cœur que Chelco, qui avait l'habitude de mordre jusqu'à l'os et ne lâchait pas à moins d'un coup de tonnerre. Il décida que, dorénavant, il ne ferait plus la conversation. Mais il était difficile de tenir un engagement de cette importance. Il se mit à divaguer sur sa maison de la rue des Magnolias où, un matin à l'aube, il avait été suivi par les pas du Grand Boiteux en personne. La maison avait une cour avec des yuccas et un figuier fréquenté par des bec-figues. Le patron prit plaisir à la description de cette maison, et pensa qu'il aurait aimé passer là des jours tranquilles et s'étendre pour dormir sur une chaise longue taillée dans la charpente du bateau. Mais Joaquín était de plus en plus inquiet. Il avait un sombre pressentiment. Quand il causait avec le patron, cela finissait toujours ainsi. Il se souvint d'un dimanche dans la cour, c'était un soir d'été. Ses cousins disaient le nom de Chelco comme en secret, pendant que l'ombre les dévorait. Ils étaient près du poulailler. Les pondeuses s'installaient sur les perchoirs et les cousins parlaient de plus en plus bas. Puis tous s'étaient tus. Ils regardaient la lumière de la maison et mesuraient la distance. Pour se donner du courage, ils avaient récité le poème de l'homme qui éventre sa mère et se glisse dans son cœur, sur quoi la mère lui demande s'il s'est fait mal. Un poème de l'école. Ce n'était pas une bonne idée et ils étaient finalement partis en courant.

Tout en contemplant les vagues, Joaquín s'arracha une croûte du genou et la mordit d'un air pensif. A vingt ans encore, en pleine nuit, un cauchemar venait le suffoquer : il devait savoir le poème entier pour lundi. Il se réveillait avec des palpitations, affolé par la nouvelle. Mais ce n'était peut-être pas un poème et il n'était pas non plus certain du contenu.

— Un poème, c'est comme une chanson ? demanda-t-il.

— Comme une chanson, mais parlée, répondit le patron.

— Je connais un poème par cœur, se vanta Joaquín.

Mais finalement il ne le récita pas. Puis ils se turent. Le patron observait le fond de l'eau comme si son bateau y gisait. Vu son regard, il était difficile de le déranger.

L'attaque des Canaliens vint plus tard, alors que le froid commençait de tomber sur la côte. Sans que rien ne l'annonce, un rocher s'écrasa sur le visage de Joaquín et l'envoya rouler sur les galets. Il resta là sans comprendre ce qui lui était arrivé. Il supposa que quelque chose de terrible venait d'être enregistré par son corps et que l'attaque venait du côté de la terre. Son orbite gauche avait éclaté et l'autre œil eut du mal à recouvrer sa vision. Joaquín ne put situer le moment où son compagnon fut égorgé, mais il lui en parvint des signes impossibles à confondre. Il distingua une ombre confuse qui rampait sur les rochers. Terrifié, il comprit que c'était le patron dont la tête pendait, retenue aux vertèbres. Il tâtonnait sur le sol comme s'il avait perdu quelque chose.

Sur le moment, il ne se passa rien d'autre. Joaquín découvrit qu'il ne pouvait pas bouger. Il pria pour que l'attaque soit finie. Maintenant, il avait compris de quoi il s'agissait. Il avait la figure sur les galets et il apercevait un morceau de mer. Il tendit vainement l'oreille pour localiser ses agresseurs. Un grondement de fond venait de vagues lointaines. C'étaient les brisants de l'anse du Nègre. Quand on pouvait les entendre de cet endroit, c'était le mauvais temps assuré.

Son champ de vision restait désert. Il sentait son sang couler et il pensa à la pharmacie du *Talismán*. Une demi-douzaine de flacons rangés dans une boîte. Deux flacons étaient vides. Dans le fond de la boîte il y avait une tache d'iode. C'était lui qui était chargé de l'infirmerie et, une fois, il avait dû monter la boîte sur le pont pour soigner Mateo. Il y avait du bismuth, de la phénacétine, du laudanum, de l'alcool camphré et du baume du Pérou. Toutes choses nobles et sûres, qui remontaient beaucoup le moral.

Mateo s'était blessé à la poitrine à cause des brusques embardées du mât. Un jour il avait fait une chute de deux mètres et Joaquín lui avait administré une cuillerée du baume. Le vieux

geignait sur le pont, adossé au bastingage. Joaquín se rappelait encore l'odeur du baume et
sa couleur bleue. Mais sa paix disparut quand
il entendit de nouveau les voix et que les
Canoeros se montrèrent enfin. Son œil valide
reconnut la femme qu'ils avaient violée sur la
plage. Avec elle, il y avait trois enfants et un
homme. La femme brandissait un couteau. Il
était clair qu'elle s'apprêtait à l'achever.

IV

DES NOUVELLES D'AMÉRIQUE

Francis Dobson

Dix jours étaient passés depuis la mort de l'enfant. D'autres enfants moururent dans ce laps de temps, et bientôt quelques adultes. La veuve travaillait durement et n'avait pas une minute pour s'occuper de sa correspondance. Cependant, cette nuit-là, elle considéra que le moment était venu de faire connaître cette mort, la première d'une épidémie qui risquait d'effacer les Canoeros de la surface de l'île et qu'elle devait citer comme un symbole de la volonté du Seigneur. Mais cela n'était pas simple à écrire. Elle pensa que Dobson s'en serait tiré à merveille. Une fois, dans un cas semblable, son mari avait rédigé sa lettre ainsi : "A l'aube, Sidney s'est réveillé parfaitement lucide et m'a pris la main. Il m'a dit qu'il avait vu les Portes du Ciel et qu'il y avait derrière des créatures avec des tuniques blanches. A sa grande joie, toutes lui demandaient d'entrer. Sidney a dit que les anges chantaient «Alléluia» et il m'a annoncé immédiatement : «Je veux vite mourir pour être avec eux.» Le pauvre est parti une demi-heure plus tard, dans la paix du Seigneur."

En vérité, Sidney n'était pas du tout mort ainsi. Son corps, rongé par les crabes, avait été trouvé au pied de la falaise où il avait atterri alors qu'il chassait ivre. Il était la première perte de la mission, ce qui justifiait la lettre inspirée de Dobson. D'ailleurs il ne s'appelait pas non plus Sidney. Le révérend, quand il y fut obligé, donna une courte explication : la vérité n'aurait profité à personne. Et bien que deux années se soient écoulées depuis cette comédie, ils avaient eu une violente dispute. Son mari l'avait traitée brutalement, jusqu'au moment où elle avait décidé de se réfugier dans un silence furieux.

Mais Dobson était implacable. Faisant semblant de brandir une lettre de sa femme, il s'était employé à la singer : "C'est avec une immense douleur que je me vois dans l'obligation de vous faire part de la mort d'un homme arrivé depuis peu et que nous n'avions malheureusement pas réussi à baptiser du fait de nos multiples occupations. Il était ivre mort quand il s'est brisé la colonne vertébrale. Apparemment ce n'était pas un individu recommandable, car sa femme le soupçonne d'avoir couché avec sa fille aînée. Nous ne savons pas bien comment il s'appelait : je vous ai déjà dit le mal que nous donne leur langage. Ces gens parlent quelque chose qui ressemble à du gallois. Incroyable, n'est-ce pas ? Nous avions décidé de le nommer Sidney, car leurs noms sont très compliqués. Pour le reste, nous allons très bien. Joyeux Noël ! Avez-vous reçu notre carte ? Continuez de nous écrire. Que le Seigneur vous bénisse."

C'était une infâme parodie. Elle avait trop de style et ne se rendait jamais ridicule. En entendant les paroles de Dobson elle avait senti qu'entre eux un nouveau lien se rompait.

Et pourtant, au fil des ans, elle avait modéré son ressentiment. Peut-être que si Dobson lui avait montré tout de suite la lettre, ils auraient évité cet affrontement. Mais elle n'avait eu connaissance de l'enviable agonie de Sidney qu'à l'occasion d'un séjour en Angleterre. Une présentatrice chevrotante, devant cent âmes réunies à l'Union missionnaire, avait lu la lettre de Dobson en la donnant comme un exemple des bénédictions qu'il répandait outre-mer. Immédiatement les questions avaient fusé. Sidney marchait déjà sur le chemin de la gloire. Passablement abasourdie, elle inventait comme elle le pouvait. Beaucoup de femmes pleuraient. Une fois de plus, le révérend l'avait associée à ses manigances, de sorte qu'elle était revenue à Abingdon transformée en furie.

Aujourd'hui, à tant d'années de cette histoire, tandis qu'elle réglait la lampe et qu'elle contemplait les lignes en blanc, elle méditait sur les pièges que lui tendait le destin. *Le petit mort de la plage n'était pas non plus baptisé.* Mais elle n'était pas disposée à enjoliver sa fin, de sorte qu'elle prit la plume et se limita à narrer crûment les événements des derniers jours. Sa lettre, quoique truffée régulièrement d'une référence au Seigneur, était impitoyable et monotone, et elle alimenterait difficilement les rêves des futures missionnaires. La veuve était certaine qu'elle ne serait jamais publiée par le *Missionary Herald*. Elle présagea en revanche qu'elle rejoindrait le lot des textes censurés par Londres, ces lettres inévitables, pleines d'amertumes et de plaintes, qui arrivaient périodiquement d'obscurs confins de Canton, de la Barbade ou du Paraguay, grossissant le dossier des pasteurs découragés. Et cependant, cette fois, elle aurait voulu avoir la verve de son mari pour donner une bonne mort à l'enfant. Dobson aurait trouvé les mots parfaits : "Un modèle de vertu. Un exemple de zèle. Il a été l'un des plus pieux de nos petits autochtones chrétiens." Comme toujours, elle finit par penser que Dobson, à sa manière, était plus doué qu'elle pour exercer la charité.

Après cela le sommeil la terrassa à sa table. Tout en dormant, elle se rendit compte que le bois perdait son odeur de noyer fraîchement scié. Puis elle se sentit poursuivie par les relents de formol qui sourdaient de partout. Maintenant la maison était un vulgaire hôpital et les aspersions continuelles du docteur avaient effacé toutes les autres senteurs. Dans le pot de Huntley & Palmers que la veuve rangeait dans l'armoire à vêtements, rien ne restait non plus du contenu primitif. En d'autres temps elle aimait le porter furtivement à ses narines. C'était un flacon d'un excellent cirage à chaussures anglais, qui l'aidait à entendre la voix de sa mère en train de plaisanter dans la cuisine.

Mais depuis, le docteur avait arrosé la maison de désinfectant. Il avait également récuré les murs et arraché tentures et tapis en faisant fi de ses protestations contre pareil chamboulement. Cependant elle avait toujours rêvé d'un vrai hôpital, c'est pourquoi elle lui avait proposé elle-même d'installer une salle d'opération, pour laquelle ils avaient transporté tous les deux la table de la cuisine avant de la recouvrir de couvertures usées et de morceaux de draps considérés comme inutilisables. Le buffet débordait de flacons de gazes, de boîtes d'instruments chirurgicaux, de piles de compresses, de cuvettes et de brocs stérilisés. Ils avaient charrié de l'eau pour tout bouillir. Au portemanteau étaient accrochés une blouse trouée, deux bonnets et un masque élimé. "Ils ne supporteront pas une lessive de plus", avait fait remarquer la veuve. "Tant pis, avait dit le docteur. On s'en tire toujours avec un bon arrosage à l'acide phénique."

Elle se réveilla avec cette phrase qui rôdait dans sa tête. Près d'elle, dans son lit de convalescente, Mary Niscaia la vit ouvrir les yeux et se dit qu'elles allaient bavarder un peu. C'était la seule patiente adulte de l'hôpital mais, jusquelà, elle avait échappé à la rougeole. Elle était entrée au début de l'épidémie avec une grave blessure à la cuisse. Elle avait refusé de donner des explications et la veuve en avait déduit qu'elle avait été prise dans une rixe. Mary attendait assise, pendant que le docteur préparait la table d'opération. Il cherchait une bande pour arrêter l'hémorragie, quand la veuve avait entendu couler de la blessure quelque chose de stupéfiant, le bouillonnement d'un torrent de montagne que l'on pouvait percevoir à deux mètres. "N'ayez pas peur. C'est une artère qui s'est rompue", avait expliqué le docteur tout en désinfectant ses instruments. "Je vais faire une ligature, mais si la gangrène s'y met, nous serons forcés de lui couper la jambe", avait-il annoncé ensuite.

Mais finalement la jambe était restée sauve, et maintenant la vieille se rétablissait et aimait bavarder avec la veuve. Elle parlait un peu d'anglais et un espagnol passable, résultat de sa vie à Buenos Aires. Mais Mary gardait le silence sur cette époque et préférait consacrer sa langue aux commérages locaux. Elle connaissait bien Elinor Baker, la célèbre Canoera du trio qui avait fait le voyage de Londres avec l'évêque Collingworth. Mary Niscaia la considérait comme une fabulatrice. Elle niait catégoriquement qu'Elinor ait fait le moindre voyage dans toute sa vie. Elle exigeait des témoins de cet épisode. La veuve les avait-elle accompagnés ? Celle-ci la pria de ne pas dire de bêtises. Mary Niscaia sourit d'un air entendu : oui, c'était bien la question. Personne, à Londres, n'avait vu l'ombre de cette garce d'Elinor, et pas davantage celles de Seymour Flechter ou de Harry Kippa. Ils étaient les seuls à dire le contraire. C'était pourtant la pure vérité, rétorqua la veuve, qui avait suffisamment subi le récit du voyage des lèvres de l'évêque Collingworth en personne. Je ne connais aucun évêque, grogna Mary Niscaia. Eh bien, répliqua la veuve, c'était lui, et nul autre, qui avait emmené ces trois Canoeros de douze ans en Angleterre. Mieux, il les avait conduits au jardin zoologique, les avait présentés à la reine et envoyés pour plus de six mois dans le meilleur collège de Penketman. Mary s'étrangla de rire : Qui racontait tout ça ? C'était la reine qui l'avait raconté ? Voyons, Mary, tous les journaux en ont parlé. Non, madame, dit la vieille exaspérée. Très bien, Mary, arrêtons la discussion, demanda la veuve. Ils ont tout inventé, insista Mary Niscaia : aucun de ces pouilleux n'avait jamais quitté les canaux. Ils étaient toujours là, à manger leurs moules puantes. Elinor était incapable de faire une phrase en anglais et ne savait pas mettre la table. Elle oui, elle savait ! le couteau à droite, le tranchant tourné vers l'assiette. Tandis qu'Elinor ne se souvenait même pas de Dieu. Elle avait une montagne d'années et mourrait bientôt. Ça lui apprendrait à faire la pute à Sandy Point.

La veuve changea de sujet. Ces histoires de conversions ratées la déprimaient. Elle admettait que ce voyage n'avait pas eu grande influence sur Elinor. Elle voulut savoir si Mary aimerait faire un tour à Londres. Mary n'en était pas sûre. Pour le moment ses dix années à Buenos Aires lui suffisaient. Elle aussi, elle avait voyagé, même si elle ne le criait pas sur tous les toits. Elle avait vécu à Floresta, dans une famille catholique qui la traitait comme un être humain. Est-ce qu'elle aimerait y retourner un jour ? s'enquit la veuve. Mary eut un doux sourire, remonta sa couverture jusqu'au cou et rougit, mal à l'aise. Elle avoua que oui, parfois, elle y pensait. Là-dessus, elle demanda si elle pouvait communier. La veuve voulut savoir si elle était à jeun. Mary dit que oui. La veuve la bouscula un peu et elle avoua en fin de compte qu'elle avait bu du maté. C'était comme si elle avait pris un petit déjeuner, soutint la veuve. Ses remontrances continuelles finirent par lasser Mary qui ne dit plus mot. De sorte qu'elles restèrent ainsi, à se tenir silencieusement compagnie.

L'enfant de la plage était mort de rougeole suffocante. Le docteur s'était préparé au pire. Dans les jours à venir, toutes les formes perverses de ce fléau allaient s'acharner sur les Canaliens d'Abingdon. Le docteur était accablé : était-ce vraiment la vieille rougeole, la même que celle qui couvrait de taches inoffensives ses petits malades de l'autre côté de l'île ? D'un coup, il s'était vu dans une de ces joyeuses chambres de Sandy Point en train de s'exclamer avec bonhomie : "Parfait ! Demain, ce garçon sera couvert de boutons !" Tout le monde respirait, soulagé, convaincu finalement que ces taches insignifiantes se trouvaient du bon côté de la vie. Quelqu'un mettait un café entre ses mains énormes, plus aptes à soulever la jambe d'un percheron qu'à manipuler ses fragiles patients. Il partait peu après, au milieu des saluts et des consultations de dernière minute, à quoi il répondait en pensant déjà à la visite suivante ou à une lettre de Federica.

Mais à Abingdon tout avait été très différent. L'éruption n'indiquait plus rien, car les enfants mouraient avant. Dans certains cas, elle ne s'annonçait même pas. Il avait renoncé à montrer à la veuve comment chercher dans la bouche le signe sombre qui arrivait normalement au septième jour : cette tache, pas plus grande qu'une tête d'épingle, qu'il se plaisait à découvrir lors de ses aimables visites de Sandy Point. Le docteur avait reporté son départ d'Abingdon. Le cinquième jour, vingt-six enfants étaient morts. L'hôpital était plein. Certains malades, rendus fous par la fièvre, s'étaient échappés par la fenêtre pour aller sauter dans la mer glacée.

Pendant ce temps, les coupables de la contagion voguaient tranquillement vers le río de La Plata. Le bateau s'appelait le *Peregrino* et avait fait escale quelques heures à Abingdon. Après avoir chargé du bois sur le môle, son équipage avait joué au ballon avec les Canoeros. La veuve suggérait même que les matelots et quelques femmes en avaient fait un peu plus. Maintenant, tandis que le docteur se disposait à entrer dans la chambre d'amis de la mission des Dobson, le *Peregrino* se balançait devant Montevideo. Un matelot légèrement fiévreux, abruti par les vibrations de l'hélice, négociait avec le quartier-maître deux jours supplémentaires de lit. Il prétendait prolonger sa convalescence jusqu'au port de Buenos Aires, bien loin de l'enfer qu'il avait déchaîné, de même que les passagers d'un train ne perçoivent jamais certaines tragédies, un suicide sur la voie, un homme écrasé dans la nuit.

Sa fille était couchée par terre. En ouvrant la porte de la chambre, le docteur la découvrit et eut un haut-le-corps. Complètement hors du matelas, elle dormait sur le tapis. Quand ils vivaient à Sandy Point, Federica avait deux ans et il fallait souvent la tirer d'un cauchemar. Sa femme, qui s'inquiétait que Federica puisse se faire mal en tombant, mettait toujours le matelas par terre. Le docteur se souvenait particulièrement d'une nuit où il avait dû remettre Federica sur le matelas et de la manière dont il s'était couché ensuite sous les draps raidis de leur propre lit.

Sa femme n'avait pas bougé. Dans l'autre chambre, on entendait la respiration de Federica.

— Tu l'as bien couverte ? avait-elle demandé au bout d'un moment.

— Oui. Il neige, avait annoncé le docteur.

— C'est merveilleux. Et si je me levais pour aller voir ?

— Je ne te le conseille pas. Tu n'arriverais même pas jusqu'à la fenêtre.

Du dehors venait une lumière particulière.

— Je vais me perdre dans la toundra, avait-elle soupiré.

— Et nous te retrouverons au printemps.

Cette nuit-là, ils devaient faire l'amour. Ils y pensaient tous les deux. Mais c'était difficile de prendre l'initiative : d'écarter ne serait-ce qu'un doigt du corps.

— Comment vais-je faire pour te mettre nue ? avait-il demandé. Les draps étaient durs et glacés. Il n'était pas commode d'opérer dans ces conditions. Elle paraissait prête, mais il décida d'attendre pour la toucher. Il faisait réellement très froid. Son haleine sur la couverture se transformait en givre.

— Doucement, avait-elle dit. Je ne veux pas me réveiller.

— Mais tu es réveillée.

— Pas encore.

— Nous allons agir avec prudence.

— Ça nous réussit toujours.

Peu après, elle s'exclama :

— Jésus ! Maintenant je suis tout à fait réveillée !

— Il vaut mieux ne pas crier.

— Je ne devrais pas dire Jésus…

— Ne disons pas non plus de gros mots…

— Non, pas de gros mots.

— Ne défaisons pas le lit.

— Ne gémissons pas.

— Restons très sages.

— Comme si nous regardions un tableau, avait-elle dit, d'une voix de nez.

Le lit était un enfer.

De sorte qu'ils avaient fait ça dans un profond silence, le silence d'une nuit comme celle-là. A un certain moment, leur application était telle qu'on aurait entendu marcher un chat. Après, ils avaient parlé un peu et ils avaient été sur le point d'aller regarder par la fenêtre. Mais ils y avaient renoncé. Ils avaient fait l'amour sans déplacer les draps, ce qui nécessitait beaucoup de contrôle de soi et une grande concentration. Ajoutez la neige, le fait d'être convenablement amoureux et d'avoir envie de faire un bébé, et vous aurez là des conditions fort recommandables.

Désormais la veuve réservait tous les lits aux enfants malades, de sorte que Federica dormait obligatoirement par terre.

Elle se réveilla pendant que son père la remettait sur le matelas. Elle ne lui rendit pas son sourire. Le docteur en fut déçu, car il appréciait la faculté qu'avait Federica de garder sa bonne humeur à tout prix. Elle entrouvrit les yeux avec un sentiment d'angoisse, sans jouir de la trêve qui règne aux franges du sommeil.

Quelque chose la poursuivait, qu'elle affrontait depuis l'après-midi et qui l'avait empêchée de s'endormir paisiblement.

Elle regarda son père avec terreur.

— Meimasekeepa a mangé son cataplasme !

Il lui caressait la main. Il essaya de prendre la chose comme une plaisanterie.

— Bah ! les cataplasmes sont comestibles.

— Il va mourir très vite ?

— Je n'en suis pas sûr.

— Mais quand même, il va mourir.

— Je crois que oui.

— J'ai passé toute l'après-midi avec lui. Mais quand je suis allée chercher de l'eau, il a mangé le cataplasme.

Le docteur devait lui avouer qu'il était déjà mort. Elle poursuivit :

— Il sait qu'il va mourir. Tout à l'heure, il m'a demandé : Et si je meurs ? Que va penser ton père ? Que va dire la veuve ? Il a dit ça.

L'enfant avait cinq ans et s'appelait Meimasekeepa, mais son nom chrétien était Nathaniel

Barrow. Il avait une marraine et un parrain à Bornemouth : Miss Annie Louise Benney et Mr Thomas Snell, qui envoyaient de bons colis. Il était aussi le fils adoptif du capitaine du *Tai-tao* qui faisait régulièrement escale à Abingdon. C'était tout ce que le docteur savait du petit garçon, grâce à la loquacité de Federica. Il pensa que ce n'était pas juste qu'une fillette voie mourir tant d'enfants. Il finit par lui annoncer la nouvelle. Les lèvres de Federica tremblèrent.

— Oh ! papa, soupira-t-elle. J'aurais tant voulu qu'il ne meure pas…

Le docteur se repentit de l'avoir laissée avec cet enfant. Elle dit encore :

— Et moi aussi j'ai eu ça ?
— A quatre ans.
— J'ai eu des hémorragies ?
— Tu as seulement été couverte de taches.
— Je m'en suis tirée de justesse.
— Non. Chez nous, c'est différent.

Elle soupira de nouveau et se laissa aller dans les bras de son père. Au moment où le docteur pensait que le pire était passé, Federica se mit à pleurer comme une orpheline. Ensuite ils restèrent à regarder le poêle, et le docteur finit par s'endormir. La chambre était encore très froide, mais elle ne fit pas le moindre mouvement. Son père respirait doucement. Plus tard, les flammes crépitèrent et leur lueur éclaira toute la pièce. Federica parvint à lire quelques mots d'un livre ouvert sur le plancher. Elle avait discuté une fois avec son père de la possibilité de lire à la lumière de la lune, mais elle n'avait jamais essayé. Elle avait une longue liste de projets non réalisés. Federica se rappela le plaisir qu'elle prenait à les formuler et se dit que c'était encore ça le meilleur. Puis elle s'endormit à son tour et, plus tard, quand son père la découvrit dans ses bras, il pensa à la douleur qu'elle éprouvait de la mort de Meimasekeepa, ce qui l'empêcha de retrouver le sommeil.

Dehors, à mi-chemin de la maison de la veuve et du kauwi vide de Tatesh Wulaspaia, un feu consumait les vêtements des contagieux. Munie d'un léger râteau, la veuve présidait au spectacle. Elle vit brûler la couverture de *The King's Business*. Nathaniel Barrow avait trouvé la mort pendant qu'il feuilletait ce livre. Federica l'avait mis dans ses mains sans que personne n'ose le lui interdire. Près des Affaires du Seigneur se consumaient plusieurs poupées et une vache en carton. Maintenant c'était le tour des vêtements. Dans le tas, il y avait une chemise de nuit et un blazer de chez Chatham Martch.

La veuve alimenta les flammes. Deux pantalons rayés finirent dans le feu. Autrefois les caisses contenant ces vêtements arrivaient tous les ans. Elle défaisait les paquets sous les commentaires sarcastiques de son mari. Ils pouvaient s'attendre à tout : tirer soudain une cape de velours jaune avec un col de renard et des brandebourgs dorés. Il y avait beaucoup d'articles de ce genre. De temps en temps, Dobson adressait quelques lignes diplomatiques à Londres, mais sans autre résultat.

Aujourd'hui, le docteur réveillait sa vieille querelle avec Dobson. La nuit précédente, alors qu'ils travaillaient ensemble devant le feu, elle avait dû subir une conférence sur l'hygiène. Thème : Des effets destructeurs des vêtements de coton sur les corps mouillés. Ils avaient échangé quelques mots et s'en étaient tout de suite repentis. Le docteur rassemblait les braises. "Admettons que ce soit vrai, s'était dit la veuve. Disons que cet homme a raison et que, réellement, nous les tuons." Mais quelle était la bonne voie ? Il fallait les voir quand ils arrivaient dans leurs canoës délabrés. Un jour, elle était en train de faire la vaisselle quand ses frères dans le Christ étaient apparus tout nus sur la plage couverte de neige. Ils restaient à distance, en attendant qu'on les appelle. Seul un homme portait pour tout vêtement une moitié de drap crasseux sur les épaules. C'était un hiver épouvantable, le premier que les Dobson passaient à Abingdon.

Pour le docteur, les Canaliens avaient perdu au change en abandonnant leurs quillangos et en adoptant les vêtements de Londres. La veuve lui avait ri au nez. Personne n'avait plus de quillango : ils le troquaient contre n'importe quelle défroque sur le premier paquebot qui passait. Elle était furieuse de la stupidité du docteur. Elle bénirait ces vêtements jusqu'au jour de sa mort. Et pourtant c'était bien vrai que l'on continuait à lui expédier des choses extravagantes ! Shirley Bates, par exemple, n'arrêtait pas d'envoyer des couvre-théières. Mais la pauvre ne savait pas coudre autre chose.

"Des quillangos !" ronchonna la veuve tout en attisant les braises. La question l'obsédait. Un soir de novembre, des années plus tôt, elle avait vu surgir Keno Kiapej à la porte de son salon, engoncé dans sa veste lie-de-vin avec un écusson du *Royal Yatch Squadron* sur la poche de poitrine. Elle était résignée à ces apparitions. De temps en temps, quelqu'un entrait et s'installait sur le sofa. Ils pouvaient passer des heures à feuilleter le *Herald* sans en comprendre un mot. Ils arrivaient trempés et se mettaient devant le feu avec leur quillango entrouvert. La veuve n'en était pas du tout scandalisée. Une fois, elle avait remarqué avec étonnement que le membre vigoureux d'un visiteur se dressait à la chaleur des flammes. Mais l'homme avait continué à se sécher d'un air absorbé, comme un vieux cheval qui déploie son membre avec indifférence tout en paissant au milieu des petits oiseaux. Quand elle avait vu Keno Kiapej grelotter devant le poêle dans sa veste de sport et son pantalon à carreaux, elle avait décidé que l'heure était venue de lui restituer son quillango. Mais Keno avait été mortellement offensé de sa proposition et, depuis, il racontait partout que la veuve voulait récupérer ses cadeaux.

Le docteur surveillait le feu en silence. Le regard de la veuve voltigeait sur ses mains. Un lot de couvre-lits tardait à prendre feu. Le médecin travaillait avec nervosité, comme toujours quand quelqu'un observait ses mains. Il pensait qu'il devait dire quelques mots aimables, mais rien ne sortait. De son côté, elle pensait à sa dispute avec Keno, aux envois de Londres et au plaisir que lui procurait leur distribution. Elle se souvenait de son inquiétude en découvrant comment les vêtements se dégradaient sur la peau des Canaliens. Ils n'arrivaient jamais à sécher et, très vite, ils tombaient en lambeaux. Les orteils qui sortaient des chaussures accentuaient l'aspect misérable de ses frères.

Elle regrettait l'agitation des dimanches d'octobre, quand les canoës commençaient à partir et que les Canaliens plaisantaient sur le rivage. Est-ce qu'ils ne semblaient pas heureux ? Est-ce qu'ils ne s'amusaient pas de leurs propres folies ?

Est-ce qu'ils ne mouraient pas de rire quand l'un d'eux passait ses jambes dans les manches d'une chemise ? Et pourtant : combien de victimes avaient faites les colis de Londres ?

La veuve avait réprimé une larme. Elle s'était souvenue d'une phrase de Mr Banbury, l'ancien titulaire de la mission, en lui montrant un canoë qui s'en allait : "Est-ce qu'il n'y aura jamais un endroit sec pour ces malheureux ?" avait dit le prédécesseur de son mari. Tout juste arrivés d'Europe, les Dobson faisaient leurs adieux à Mr Banbury sur le môle, tandis que le paquebot attendait au large. Les Canoeros partaient nus, le quillango plié à leurs pieds. Ils pagayaient courbés en deux et grelottaient sous la pluie. Quand elle avait voulu répondre, Mr Banbury s'éloignait déjà dans son canot.

Cette nuit-là, elle avait griffonné sa première lettre. Elle avait raconté sa rencontre avec eux. Elle avait décrit du mieux qu'elle le pouvait ces créatures qui vivaient en se battant contre la pluie. Elle avait demandé tous les vêtements possibles et promis avec ferveur qu'elle ne quitterait pas l'île avant que le dernier de ses Canoeros ne soit vêtu comme un enfant du Seigneur.

Mais Dobson avait décidé que seuls les baptisés auraient droit aux vêtements de Londres et elle n'avait pas eu le courage de lui tenir tête.

V

LES CLÔTURES

Lorenzo Giacomo

Tandis qu'il bavardait avec Jaro près de la clôture, appuyés tous deux sur les fils de fer et regardant dans la direction des bergeries, Tatesh se souvint des jours lointains où, du même endroit, il guettait avec son père l'irruption des chiens.

Beaucoup d'histoires circulaient sur les chiens de berger, et Tatesh avait grandi avec elles. C'était un sujet qui revenait constamment à l'école du dimanche, où les prêtres ne tarissaient pas d'éloges sur leur heureuse nature. Selon le père Lorenzo, il y avait des chiens si méritants qu'ils devenaient malades et perdaient le goût de l'existence quand ils avaient fauté dans leur travail. Certains descendaient du loup, encore que les anecdotes ne fassent jamais allusion à une quelconque méchanceté. Au contraire : c'étaient des chiens très responsables et ils restaient perpétuellement sur leur faim. Comme ils souffraient beaucoup de la chaleur, on les tondait, eux aussi, en décembre. Au début, d'après ce que se rappelait Tatesh, ils n'avaient pas signifié une grande menace pour les Parrikens qui traversaient leurs champs. Mais à l'époque personne ne songeait à briser les clôtures.

La clôture de fils de fer allait jusqu'à la mer et il avait fallu tout un été pour la poser. Elle était l'ouvrage de Chiliens qui campaient près de la rivière. Son père avait réussi à se faire embaucher et ils l'avaient mis à creuser les trous pendant que Tatesh vagabondait avec ses frères. A midi, les Chiliens lui donnaient un gigot ou une épaule de mouton et ils s'installaient à l'écart pour manger. Tatesh restait généralement sur sa faim, car il arrivait toujours un moment où son père reprenait la viande pour l'envelopper dans un bout de toile. Elle était toute sa paie et, quand il revenait au kauwi, il jetait le sac aux pieds de sa femme comme s'il s'agissait d'un guanaco.

Mais son père avait perdu la main pour la chasse. Un jour qu'ils étaient en train de creuser, rendus muets par le froid du matin, ils avaient vu au loin un troupeau de guanacos qui sautait au galop par-dessus la clôture. Tatesh avait espéré que son père partirait sur leurs traces, mais celui-ci avait continué à travailler en silence. Toute l'après-midi, Tatesh avait pensé à ce saut prodigieux. Le lendemain ils avaient atteint la côte et ce fut la fin du travail. Avec le départ des Chiliens, le ravitaillement en mouton avait également cessé. Ils s'étaient occupés de cueillir des moules à marée basse, jusqu'à ce que l'hiver les chasse de la plage.

Un matin, son père n'avait pas pu se lever. Tatesh était sorti ramasser les moules avec ses frères, mais une tempête déchaînée soufflait sur la côte. Ils avaient cherché des œufs de macareux dans les rochers, puis ils avaient pisté des guanacos. Ils étaient revenus les mains vides pour trouver leurs parents en train de se disputer en criant. C'était toujours la même querelle, à propos des moutons du nouvel élevage. Sa mère paraissait indignée. Elle venait juste d'accoucher et elle était épuisée. A un autre moment son père aurait coupé court, mais la douleur lui ôtait ses moyens.

Son père n'avait pas d'oreilles. Il avait seulement deux cicatrices sous les cheveux, qui apparaissaient de façon obscène quand il agitait la tête. Il en avait terriblement honte, aussi refusait-il de faire la moindre allusion aux éleveurs de moutons.

Finalement sa mère avait gagné, mais ce fut lui, Tatesh, qu'ils avaient envoyé. Tatesh était parti le lendemain, escorté de ses frères. Sa mère lui criait de loin des choses que le vent l'empêchait d'entendre. Le plus petit était retourné en courant et avait rapporté le message : "Un mouton, pas plus", disait la mère. Et qu'ils fassent bien attention.

Après cela, Tatesh avait traversé les fils de fer en laissant ses frères derrière lui. Quand il avait pu les regarder de nouveau, ils continuaient de lui faire des signes. Il aurait aimé les prendre avec lui, mais il devait se déplacer rapidement. Il allait peut-être rencontrer du monde, puisque tout était très surveillé. Que dirait-il s'il se faisait prendre ? Qu'il allait à l'école du père Lorenzo. Mais s'ils le trouvaient avec un agneau dans les bras, tout serait inutile. Mieux valait probablement attendre la nuit. Tatesh avait reçu trop de conseils et il les avait oubliés. Pourtant le trajet avait été relativement facile. Il n'avait vu personne sur son chemin et était arrivé rapidement à la bergerie.

Du sol enneigé sortaient de minces jets de vapeur. Les moutons étaient dessous. Ils étaient là depuis des jours, dévorant leur propre laine. Tatesh avait traversé le grillage et s'était mis à creuser dans la neige. Il voulait un mouton de montagne, de ceux qui broutent sur les sommets et qui prennent le goût du guanaco.

Mais il n'avait trouvé que deux agneaux et quelques brebis percluses. Il avait égorgé l'agneau le plus dodu. Tandis qu'il retournait la lame dans la trachée, la brebis la plus proche mangeait de la neige. Les autres n'avaient pas bougé.

Sa victime avait crié plus que son compte. Tatesh avait attendu, tapi. Quelque chose de chaud lui coulait entre les jambes. Il avait uriné quand l'agneau avait bêlé. La neige s'était remise à tomber. Il avait décidé de revenir par la côte. Même s'il était surpris par la nuit, il ne lâcherait pas sa prise. De toute manière, l'agneau était déjà raide. Il imaginait le plaisir de sa mère en voyant l'agneau et il avait sifflé tout le long du chemin de retour.

L'été suivant, il avait été capturé en même temps que son père. A la suite d'une ronde nocturne, la police les avait conduits à Río Agrio. Le commissariat débordait de Parrikens, accusés d'avoir démoli deux cents mètres de clôture. Beaucoup n'avaient rien volé, mais c'étaient ceux-là qui semblaient les plus terrifiés.

Ils avaient été embarqués l'après-midi même pour Puerto Abril. Personne n'avait pu quitter la cale pendant qu'ils naviguaient sur une mer furieuse. Un homme avait hurlé pendant toute la traversée sans qu'on arrive à le faire taire. Puis était apparu un gendarme avec des sacs de biscuit et un chaudron de maté froid.

A Puerto Abril on les avait conduits au tribunal, mais l'ordre était bientôt venu de les transférer. Son père avait prédit qu'ils finiraient dans les enclos à bétail. Finalement ils avaient échoué dans un hangar et le secrétaire était arrivé pour les interroger. Quelques Parrikens baragouinaient l'anglais mais personne ne comprenait le secrétaire. Celui-ci n'arrivait pas à leur extorquer leur nom et ils agrémentaient tous leurs réponses d'interminables commentaires.

Les heures passant, il était devenu manifeste qu'on ne parviendrait jamais à les identifier. Ils parlaient tous en même temps et les femmes étaient les pires. Le secrétaire poussait des cris jusqu'au ciel et menaçait de les relâcher. Tatesh ne perdait pas un mot. A la différence des autres, grâce au père Lorenzo, lui et son père comprenaient parfaitement le secrétaire.

Mais pratiquement personne n'avait été mêlé au vol. Pour le secrétaire, la chose était irréfutable. Il avait annoncé que seul un taré pouvait soutenir le contraire, tout en regardant les enfants et les femmes enceintes. Le gendarme s'était senti visé et avait murmuré qu'il y avait là les meilleurs voleurs de moutons de toute l'île. Il avait soutenu qu'à plus de trois mètres de distance toute différence entre un Parriken et sa femme disparaissait, et donc qu'ils étaient tous dans le coup. Le secrétaire avait répliqué que les différences étaient évidentes, à moins qu'on n'ait les yeux dans le cul : la forme chargée comme une mule ne pouvait être que la femme. Le gendarme avait ricané, jusqu'au moment où le secrétaire lui avait demandé s'il prenait les fonctionnaires pour des ivrognes qui n'avaient rien de mieux à faire que de passer toute leur après-midi à établir une liste.

Le juge était entré dans une grande colère, en criant que sans liste nominale, il n'y aurait pas de procès. Le secrétaire et le gendarme avaient protesté d'une même voix. Les Parrikens, étrangers à tout cela, bavardaient accroupis. Deux femmes donnaient le sein et son père ronflait sur des sacs. A la fin, tout le monde était sorti et quelqu'un avait tendu une bâche. Tatesh s'était disposé à dormir par terre. A côté de lui, une femme se peignait placidement.

Chaque fois qu'il voyait une femme en train d'arranger ses cheveux, il pensait à sa grand-mère. Il se rappelait ses sœurs qui la coiffaient avec soin, jusqu'à ce que sa chevelure prenne la teinte d'un ciel d'orage. Parfois elles oignaient ses cheveux de moelle de jeune guanaco parfumée à la violette. Ses sœurs aimaient peigner leur grand-mère et taillaient régulièrement les mèches avec une coquille. Elle ronchonnait tout le temps, car elle n'avait pas confiance en ses deux petites-filles. Mais ensuite elle était devenue vieille et ses sœurs avaient commencé à la négliger. Elle passait parfois des journées entières sans que personne ne se souvienne d'elle. Son père se mettait en colère et ordonnait qu'on la coiffe. Il y avait eu de nombreuses querelles à cause de cela, jusqu'au jour où ses sœurs, fatiguées, avaient décidé de la raser. Les garces étaient très rapides avec leurs coquilles affûtées. Quand sa grand-mère avait voulu se rendre compte du résultat, il ne lui restait plus que quelques petits cheveux hérissés. Mais elle n'avait pas dit un mot. Elle avait seulement ramassé sa chevelure qui gisait par terre et était allée l'enterrer sur la plage.

Le juge avait quitté les hangars pour aller voir le père Lorenzo. Malgré les airs qu'il se donnait, ce juge était un individu incompétent et paresseux qui ne pensait qu'à se libérer de ce fardeau en refilant l'affaire à d'autres. Il avait l'intention de mettre le plus vite possible les prisonniers dans un train pour le Nord. A la façon d'un médecin ignare qui soigne ses malades avec trois ou quatre remèdes, il avait appris à esquiver tout problème avec la plus grande élégance. Et il avait beau être corrompu, être manipulé par la police et avoir violé la loi à maintes reprises, il était considéré comme un bon juge. Il ne portait pas grand intérêt à son office, mais il savait réconcilier les parties.

Pendant le dîner, ils avaient à peine échangé quelques mots. Ils n'avaient pas grand-chose en commun : ils étaient nés sous le signe du Sagittaire, ils jouaient aux échecs, ils venaient d'une vie meilleure. Lorsque le juge avait été installé dans ses fonctions, le prêtre avait célébré un *Te Deum*. Ils se voyaient régulièrement pour manger des *empanadas* et discuter politique. Mais cette fois-là, le juge était préoccupé par l'épisode du hangar. Soudain, il lui était venu un doute : les missionnaires de Río Agrio ne connaissaient-ils pas les Parrikens par leur nom ?

— Naturellement, avait répondu le prêtre. C'est nous qui les baptisons.

— Je veux dire leurs noms authentiques.

— Nous donnons à beaucoup leur nom authentique.

— Une fois, on m'a envoyé un voleur de brebis, dit le juge. Un certain Manuel-de-la-Nuit. Je crois qu'il vivait chez vous.

— A la mission ? C'est bien possible. Certains pères avaient une faiblesse pour ces choses-là. Pablo-du-Vent, Pepe-de-la-Pluie. Ils en ont trouvé un qui dormait tout le temps et ils l'ont appelé Toribio-la-Sieste.

Il avait tenté de se justifier :

— Nous étions peut-être un peu désinvoltes. Mais enfin, ce sont quand même des noms, n'est-ce pas ? Et que dites-vous des anglicans ?

— C'est vrai, Ampunojanjiz, ils l'ont appelé Sidney.

— Pauvre Ampunojanjiz.

— Il a été aussi une de vos ouailles ?

— Oui. Une fois, il a bu l'eau bénite.

Le juge avait évoqué son passage à Abingdon, peu de temps avant la mort du pasteur. C'était par un jour chaud d'automne et il revenait de Sandy Point. Tout en marchant le long des petits radis roses, la veuve lui avait présenté ses Canaliens convertis sans en oublier un seul. Puis elle lui avait remis une lettre pour Londres, en le priant de la mettre sous enveloppe et de l'expédier de Río Agrio. Cette nuit-là, sur le paquebot, le juge avait jeté un coup d'œil à la lettre. Dans le style pesant des missionnaires, la veuve dressait un rapport comptable et mendiait discrètement. C'était un appel typique aux donateurs, révélateur de pénurie et de succès modestes. Elle donnait des nouvelles de leurs pupilles : "Ann Mary Brown et Wallace Brown vont bien et sont très heureux. Karen Townsend est une excellente petite fille et je crois que vous savez déjà que George Beckenham s'est bien amélioré et ne ment plus autant." On avait du mal, dans sa lettre, à reconnaître les Canaliens d'Abingdon. Karen Townsend ? George Beckenham ? Ann Mary Brown ? La veuve donnait l'impression de parler de collégiens anglais et de leurs condisciples virginales. Si la mémoire du juge ne le trompait pas, George Beckenham était un vieillard aux genoux ridés qui transpirait pour arracher une note sur sa flûte d'os. La veuve, qui essayait de les éduquer par tous les moyens, leur avait appris à fabriquer ces flûtes. L'instrument semblait taillé dans un fémur humain et le juge n'aurait pas été autrement étonné que la matière première vienne de la défunte mère de George. Il connaissait également Dobbyn Creek et Mildred Butterworth qui, pour quelques sous, dévoraient un poisson cru devant les touristes, juste après l'avoir tiré de l'eau. Le juge se demandait ce qu'on aurait pensé à Londres de ces dames, et comment on s'y représentait Karen Townsend.

Il avait continué un moment à parler du hangar. Il voulait établir clairement si les Parrikens s'étaient moqués de lui :

— Vous voulez que je vous dise ? Ces individus nous comprenaient parfaitement.

Le père sirotait son gin.

— Ça ne me surprendrait pas. Vous vous souvenez des Canoeros de Tavistock ? *"English-man ! Come on shore !"*

— Oui.

— Je connais beaucoup de cas comme celui-là. Un capitaine qui a relâché deux jours dans le golfe des Dames m'a dit que les Canaliens de la plage, pour le faire sortir de ses gonds, répétaient en chœur les ordres des manœuvres. Ils ont une très bonne mémoire et sont parfois très intelligents.

— Je vous en prie, mon père. Ne me récitez pas la *Revue du missionnaire*.

Le père souriait. Il avait soupiré :

— C'est tellement difficile de faire quelque chose pour eux. Ils nous donnent beaucoup de soucis. Nous arrivons bourrés d'illusions. Comme vous dites : avec la *Revue du missionnaire* dans la poche. Et nous finissons par nous contenter de leur faire joindre les mains et répéter "Jésus, miséricorde". Mais nous ne sommes pas sûrs qu'ils s'en souviennent le lendemain.

— Il faudrait s'entendre, mon père. Ne disiez-vous pas à l'instant que certains étaient remarquables ?

Le père Lorenzo réfléchissait.

— Peut-être qu'ils révèlent leur intelligence d'une autre façon. Je sais que vous ne vous intéressez pas particulièrement à l'Evangile. Mais ce sont des êtres merveilleux.

— Sincèrement, mon père… on dirait que c'est la mode de faire des discours sur ces gens-là. Vous croyez vraiment à ce que vous dites ?

— Je crois que, essentiellement, ils sont nos frères.

— Ne soyez pas hypocrite, mon père.

— Je vous supplie de ne pas dire ça.

— Les Canoeros de Tavistock étaient aussi de la famille ?

Le père était resté ferme.

— Vous leur donneriez votre maison ? En sus de votre amour, naturellement.

Le juge aimait le harceler. Le prêtre s'était rappelé la nuit de Tavistock.

Ils étaient arrivés à la tombée du jour et le patron de la vedette avait décidé qu'ils passeraient la nuit à bord. Sur la plage, un feu crépitait. La vedette avait dansé tout le temps, impossible de fermer l'œil. Le froid ne leur accordait pas non plus de répit. De temps en temps, quelqu'un les appelait de la côte. Les heures passant, ils avaient déchiffré le message :

— *Englishman ! Come on shore !*

Puis ils avaient fini par céder à l'hébétude des froids trop forts. Le prêtre avait perdu contact avec sa couchette et même, bientôt, avec la vedette. Il s'était laissé mener par son rêve comme les grands oiseaux durant leurs traversées atlantiques. Il flottait doucement dans l'espace. De la plage montait un cri : *"Englishman ! Come on shore !"* Il rêvait qu'il planait à la dérive, en traçant une courbe aussi parfaite que le vol d'une frégate.

La pluie sur le pont l'avait réveillé. Le patron de la vedette préparait le petit déjeuner. Le juge n'avait pas changé de position. Le curé avait découvert une pelisse en peau de phoque sur son corps. "Quelle superbe fourrure", s'était-il dit en la touchant. Une peau épaisse et soyeuse comme on n'en façonnait qu'à Berlin. Elle avait peut-être plus de trente ans.

La pluie les avait maintenus à bord jusqu'au milieu de la matinée. Le père regardait la plage parsemée de rochers et les arbustes tordus, racines au vent. Tout semblait balayé par un éternel ouragan. Le sol paraissait incapable de retenir un arbre normal.

Plus tard, ils étaient descendus à terre. Sur la côte se dressait un kauwi solitaire. Le silence était total. Mais les Canoeros étaient là, épiant chacun de leurs pas.

Des ouvertures du kauwi s'échappait de la fumée. A l'intérieur, des silhouettes larmoyantes dévoraient leur déjeuner. Ils n'avaient pas cessé un instant de mastiquer, tout en observant les étrangers. De leurs doigts pendaient des filaments de moules. Un homme écopait avec lassitude l'eau qui sourdait de la tourbe. Puis il la jetait dehors avec une boîte de confiture. Mais la flaque ne diminuait pas. Sa femme se battait avec le feu. Assis contre l'armature noircie, plusieurs enfants en haillons complétaient le tableau.

Le juge avait commencé à les interroger à propos d'un vieux crime. Le prêtre avait montré son sac de vivres. La femme était morte de honte, malgré son inquiétude pour le feu. Les enfants n'avaient d'yeux que pour le sac. Le prêtre restait dans l'entrée, guetté par les pupilles de ces enfants qui avaient à peine assez de souffle pour continuer à le regarder. Seule la gardienne du feu montrait une certaine énergie.

La flamme était à la dernière extrémité. Régulièrement, la femme lançait des regards désespérés vers l'extérieur. Mais il n'y avait là qu'un chien transi qui déféquait sous la pluie. Finalement elle avait couru vers les rochers et s'était mise à creuser de ses mains nues l'épaisse couche de neige. Elle était revenue, toujours en courant, avec quelques branches pourries.

"Ils n'ont même pas une hache", avait murmuré le père Lorenzo durant le voyage de retour. Il était sur la couchette du patron de la vedette, sous la pelisse berlinoise. La pelisse était encore imprégnée de la puanteur du kauwi. La graisse de phoque rance dont ils s'enduisaient pour se préserver du froid ? Il pensait à la terreur de la femme devant son feu agonisant. Il se souvenait de leur canoë délabré sur la plage. Ils ne pourraient plus jamais quitter l'îlot. Ils tiendraient peut-être un certain temps en pêchant un poisson du rivage, mais ils seraient morts avant l'été.

Le juge s'était donc débarrassé des prisonniers en les embarquant dans un train pour le Nord. Tatesh et son père avaient été affectés à la vieille locomotive Caproti pour alimenter le foyer. Le mécanicien aurait préféré voyager avec un essaim de guêpes. Il avait sorti un peu de viande, avait découpé trois morceaux et les avait posés sur la pelle. Ils restaient impavides. Il s'était demandé ce qui allait se passer dans le reste du train. Il n'y avait aucun moyen de passer de la locomotive aux wagons.

Les Parrikens lui avaient gâché son voyage. Le mécanicien était un personnage tranquille et aimait ces trajets dans le désert. Il faisait la course avec les guanacos et insultait les vaches qui se promenaient sur la voie. Parfois il conduisait la machine seule et il lui arrivait de s'arrêter en rase campagne pour chasser un mouton. C'était une figure de la ligne. A vingt ans, il avait accroché un renard au train, mais l'animal était tombé au bout de trois cents mètres.

Tout en faisant griller la viande, il avait décidé de les laisser s'échapper. Il avait d'abord servi le repas.

— Steak sur la pelle, avait-il annoncé.

Mais il avait tout de suite détourné les yeux de l'outil, car il luisait comme un objet porteur de mort. Puis il s'était écarté avec son steak. Ils continuaient à rester immobiles, les yeux rivés sur la chaudière. Ils étaient tous les deux accroupis sur leurs talons, leur quillango devant eux. Une sueur noire leur coulait sur le torse. Leurs muscles tremblaient encore et ils n'avaient même pas regardé la nourriture. Le mécanicien en avait déduit qu'ils n'y goûteraient pas. Mais il n'avait pas l'intention de se montrer insistant. Le plus grand n'avait plus d'oreilles. C'était la signature des éleveurs de moutons.

Il avait pensé qu'il devait s'en débarrasser, tout en décidant de procéder avec prudence. Il s'était dit : "Je vais réduire la vitesse dans la courbe et je leur mettrai la pelle sur la gorge jusqu'à ce qu'ils sautent."

Quelques minutes plus tard, Tatesh et son père voyaient le train disparaître. Au cours du trajet, ils s'étaient dit qu'ils ne pourraient quitter cette machine qu'en tuant l'homme. Ils s'étaient reposés au soleil, étourdis par le silence. Ils étaient entourés d'un horizon de collines et de mirages. Dans la croûte du terrain s'ouvraient des lagunes jaunes. Ils s'étaient éloignés le long de la voie pour rentrer chez eux. Un guanaco solitaire les suivait de loin. Ils marchaient vite, car ils étaient pressés de sortir du Pays du Diable.

Ils avaient mis finalement plus d'un an. Le problème principal était de traverser le détroit de la Grande Neige. Ils avaient d'abord fait affaire avec un chasseur de phoques, en échange du nettoyage du fond de son bateau. Mais lorsque sa coque avait pu de nouveau flotter, l'individu avait décidé de se diriger vers la haute mer. Juste au moment où il levait l'ancre, il avait daigné leur dire qu'à Río Kippa ils trouveraient un homme qui possédait un canot et qui pourrait peut-être les prendre. Ce dernier n'avait pas montré non plus beaucoup d'empressement. Il avait déclaré que ça lui arrivait de faire la traversée, une fois oui, une fois non, suggérant que cela dépendait du temps et de sa propre humeur. Il avait fini par exiger un guanaco. Il ne pouvait pas demander pire. Ils étaient partis à la recherche d'un animal, mais n'avaient trouvé que de vieilles traces. Au retour, ils avaient laissé entendre qu'ils ne pourraient peut-être pas se procurer le guanaco et l'homme avait gardé le silence. "Ça fait des siècles que je n'ai pas mangé de cervelle à l'étouffée", avait-il déclaré au bout d'un moment, avec un soupir. Mais il avait vite ajouté que pour eux la traversée serait gratuite, pourvu que le temps s'y prête. Comme les eaux du canal semblaient devoir rester d'huile, ils avaient décidé de retourner à la chasse. Le soir même, alors qu'ils revenaient les mains vides, ils l'avaient vu en train de ramer placidement depuis la rive d'en face. "Où étiez-vous donc ? Je vous ai cherchés partout !" avait-il crié pour se justifier. Il était descendu avec un sac de bernicles et avait promis de les faire traverser dès qu'il y aurait un autre jour de calme.

Il était difficile de négocier avec ce personnage. Tatesh soupçonnait qu'ils ne reviendraient jamais chez eux. Un dimanche qu'ils étaient sur le rivage en attendant la nuit, un baleinier surgissant de derrière la pointe Toribio avait mis le cap sur la plage. Son père avait bondi, inquiet, mais ils avaient reconnu le père Lorenzo. Le baleinier avait immédiatement jeté l'ancre et une yole était venue à terre. Le père Lorenzo semblait ravi de les voir et les avait couverts de marques d'affection. Même s'ils avaient du mal à y croire, novembre était arrivé, et c'était l'époque à laquelle le prêtre partait recueillir ses Parrikens.

La mission commençait à s'éclaircir au printemps, lorsque venait la saison des oiseaux et que les guanacos retournaient dans la montagne. Pourquoi rester, quand le monde entier alentour ressuscitait ? A mesure que faiblissait l'hiver, la mission devenait insupportable. Le matin, Tatesh sortait en bâillant du kauwi et se mettait dans la queue pour le petit déjeuner. C'était risqué de paresser au lit, car on déjeunait très tard. Après, il irait chercher son bol de soupe et la polenta avec des pommes de terre. On ne leur demandait pas grand-chose en échange : peut-être un peu d'enthousiasme pour couper le bois ou nettoyer la chapelle, pour prier à voix haute et se laver la figure. En outre, Tatesh jouait du tambour dans l'orphéon des enfants. Un jour, le président était passé et l'orphéon avait joué sur le môle. Quand le vieil homme avait salué du haut du pont, ils avaient applaudi à tout rompre. On était en plein hiver et une tempête de neige fondue soufflait, de sorte que tout le monde priait pour que ça se termine vite. Une autre année, c'était l'escadre française qui était venue, et là aussi il faisait un froid épouvantable, les bateaux étaient restés au large mais l'orphéon avait quand même joué. Cette fois-là, ils avaient tous des souliers et ils avaient bu du chocolat à l'intendance. Selon le père Lorenzo la journée aurait été parfaite si le triangle n'avait pas atterri dans un fossé et si le tambour n'avait pas chié sur ses souliers pendant la marche de retour.

Le mauvais temps durait des mois et, en hiver, personne ne songeait à s'échapper. Mais il suffisait que viennent les premières tiédeurs pour qu'on ne parle plus que de ça. "Demain", se disait Tatesh chaque soir. Un matin il verrait le ciel étoilé à travers le squelette du kauwi, pendant que sa mère attacherait les ballots et que son père rouspéterait à cause du retard.

Pour le père Lorenzo novembre était un mois amer. Il faisait l'appel tous les matins en notant les fugitifs. Puis il circulait dans la mission et insultait tout le monde. Mais ses efforts étaient inutiles. Il tenait particulièrement à l'œil la famille de Tatesh. Un jour, il les avait surpris en train de démonter le kauwi et, après une discussion houleuse, il avait obtenu qu'ils restent. Du coup, ils avaient dû travailler jusqu'au soir pour remettre tout en état. Puis le père Lorenzo avait envoyé chercher un mouton pour manger en leur compagnie et, accompagné de leurs bâillements, il leur avait raconté comment Jésus avait pleuré sur Jérusalem.

Pendant le sermon du dimanche, il guettait toujours sur leurs visages un signe de repentir, une étincelle de piété. Parfois il se disait qu'ils étaient stupides, et d'autres fois il craignait qu'ils ne se moquent de lui. Mais il était prêt à redoubler d'efforts pour qu'ils abandonnent leurs vices et connaissent Dieu dans toute sa gloire. Quand il arrivait à en retenir un, le père Lorenzo ressentait une grande exaltation. Mais la campagne de printemps était perdue. Si les désertions augmentaient, il sortait avec la goélette et faisait résonner les canaux de ses imprécations contre les fugitifs. Il n'en récupérait jamais aucun, ce qui explique que, ce dimanche-là, à peine le pied posé sur la plage, il avait embrassé ses anciens locataires avec émotion. "Ta femme est à la mission depuis l'automne", avait-il annoncé au père de Tatesh, tout en les invitant à monter à bord. Tatesh ne voulait pas croire qu'ils allaient enfin passer sur l'autre rive.

Ils étaient arrivés à la mission au petit matin, sous une pluie battante. Tout était désert, mais le père Lorenzo voulait absolument les exhiber. Il les avait laissés un moment sous l'eau. Quand il leur avait enfin indiqué une baraque en tôle, ils avaient couru pour y entrer.

Sa mère portait un collier d'os qui traînait par terre, signe qu'elle avait chassé une grande quantité d'oiseaux pendant l'été. Mais le bébé n'était pas avec elle. Personne n'avait posé de questions. Ils avaient dormi toute l'après-midi, après quoi étaient venues les visites. La pluie tombait toujours. Ils avaient mis la viande sur le feu et tout le monde s'était un peu animé. Quelqu'un avait entonné une chanson. Son père n'ouvrait pas la bouche. Ils arrivaient du Pays du Diable, mais personne ne semblait le remarquer.

Voilà ce que Tatesh se rappelait de cette époque, celle où les clôtures avaient été installées partout et où avait éclaté la guerre des moutons. Nul ne pouvait dire comment les choses avaient commencé et quand les représailles s'étaient déchaînées. La seule chose qui comptait était que, très vite, la terreur s'était répandue dans le Nord comme au temps de la variole, quand les pestiférés erraient dans la plaine et qu'il fallait les abattre à coups de couteau aux portes des villages. Il avait fallu fuir la côte, même si nul lieu n'était plus à l'abri des éleveurs et de leurs chiens.

Ces jours-là, son père était mort. Alors avait surgi une autre histoire. Ils l'avaient entendue de leur mère, qui avait besoin de la raconter.

A l'époque où ils n'étaient pas encore nés, les démons de la nuit arrivaient sans crier gare dans les kauwis et attaquaient les femmes. Ils poussaient des hurlements sauvages, provoquaient une immense panique et pillaient les campements. Mais à la différence des éleveurs, ils ne tuaient personne. Elle avait montré une photo froissée ; trois hommes en train de se masquer, le corps entièrement peint. Au centre, se trouvait son mari. "C'est le professeur du musée qui me l'a donnée, avait-elle révélé à ses enfants. Il l'a prise sans que personne ne le voie." Après cela, elle n'avait plus prononcé un mot. Elle pensait aux démons qui sortaient de l'ombre pour les terroriser et se disait que plus jamais ne reviendrait sur la terre le jour où les femmes commanderaient de nouveau. Même si la photo mettait un point final à tout cela, sa mère se lamentait sur les années où elle avait vécu trompée. Mais comment reconnaître son mari dans un groupe de démons ?

Ils avaient fini par gagner le Sud avec leur mère. Tatesh avait demandé où ils allaient. On lui avait dit que c'était au pays des Canaliens. Ce fut une marche silencieuse. Il ne pouvait encore imaginer que quinze années passeraient avant son retour. Aujourd'hui, tandis qu'il guettait avec Jaro à travers la clôture l'apparition des chiens, cela semblait incroyable que tout ce temps se soit écoulé.

VI

LA CHAMBRE DU HAUT

Le docteur

— Maintenant, mangez de la soupe, dit la veuve. Pourquoi les médecins sont-ils de si mauvais patients ?

— C'est vrai. Nous ne savons pas nous soumettre humblement aux règles.

— Vous êtes un bon médecin.

— Disons seulement un chirurgien rapide.

— C'est une qualité ?

— Autrefois, j'en étais fier. Ça permet de faire son carnage en trois fois moins de temps que les autres. Mais ça ne sert pas non plus à grand-chose. A la longue, on finit par regretter de connaître la médecine.

— Pauvre docteur. Vous avez vu trop de morts.

— Comme vous. Et je n'oublie pas que vous êtes vous-même fille de médecin.

— Mais mon père n'était pas aussi bon que vous. Vous ai-je dit qu'il soulevait le drap de ses malades avec la pointe de son parapluie ? Je l'accompagnais toutes les après-midi.

La veuve avait avec son père un compte à régler qui finissait toujours par se manifester au grand jour. Le docteur changea de sujet.

— Comment va Mary Niscaia ?

— De mieux en mieux.

— Elle a recouvré l'appétit ?

— A ma connaissance, elle ne l'a jamais perdu. Elle mange comme un goinfre. Et maintenant elle veut savoir quand Dieu viendra par ici.

Le docteur avait dormi treize heures. A son réveil, il avait découvert la veuve qui lui apportait un plateau. Elle paraissait vouloir exprimer quelque chose d'important. Peut-être que tout était terminé pour elle ? Du dehors venait le chant triste d'un oiseau. Il ressemblait à l'appel des courlis au déclin de l'été, quand ils commencent à préparer leur départ. C'était une après-midi parfaite pour une triste conclusion.

Mais la veuve se borna à poser le plateau et à indiquer que Federica était sur la plage. Puis le plafond grinça comme toujours. La chambre des contagieux. Ordinairement, les solives grinçaient lorsque l'un d'eux quittait son lit pour descendre à la salle à manger. Là se trouvait le secteur des enfants sains, mais il s'avérait impossible de les garder isolés. A toute heure du jour, attirés par la chaleur du poêle, les malades s'installaient en haut de l'escalier. Puis ils se laissaient glisser de marche en marche jusqu'à la salamandre. La veuve essayait de les chasser et finissait par pleurer. Aujourd'hui, il ne restait plus dans toute la maison qu'un seul enfant dans la chambre des contagieux.

Elle regardait les mains du médecin. Plus qu'aux mains d'un chirurgien rapide, leurs doigts faisaient penser à celles de ces harponneurs qui tripotent continuellement un filin pour se durcir la peau. Elle ressentit une envie dangereuse de se rapprocher de cet homme, tout en étant sûre qu'elle n'oserait jamais. Puis elle se mit à la fenêtre et pleura en silence. La faute en était à Federica qui marchait pieds nus au bord de l'eau. Sa silhouette lui rappela les petites

Canoeras qui se promenaient après le culte et que les chapeaux de Mrs Forbes faisaient ressembler à des adolescentes anglaises. En ces jours ensoleillés, tout paraissait possible, l'avenir était encore très loin et elle rêvait toujours à la visite de l'archevêque. Mais voici que les solives grinçaient de nouveau, et elle décida de monter dans cette chambre. L'enfant s'appelait Erasmo. Les autres étaient morts ou avaient fui, et personne ne se risquait plus dans la mission. La rumeur que la veuve perdait tout son monde avait tracé un cercle autour d'Abingdon.

Le docteur la regarda s'éloigner, tout en essayant de lire dans ses pensées. La veuve avait le moral au plus bas. Une nuit, ils avaient parlé des martyrs du Pays des Pluies Perpétuelles. Selon elle, un pasteur agonisant, après avoir été attaqué par les Canoeros, avait réussi à griffonner sur la pierre le numéro de son psaume préféré. Tels avaient été ses derniers instants, sur ce rocher solitaire. La veuve avait proclamé son admiration pour cette mort si digne et le docteur avait compris que son chagrin avait encore empiré. Elle était à bout de forces et le moment venait où le souffle lui manquerait pour visiter son dernier malade. Le docteur se demanda si la veuve écrirait cette nuit en Angleterre, sauta enfin du lit et s'habilla lentement.

Dans deux jours le bateau serait là. Cette fois, la veuve voulait le prendre. Le docteur se demanda si Erasmo serait mort et ce que ferait la veuve s'il ne l'était pas.

Tandis que la main d'Erasmo brûlait la sienne, la veuve pensa de nouveau à son père et se souvint des visites qu'elle faisait avec lui. Elle se souvint surtout d'une femme en couches qu'ils étaient passés voir une nuit. C'était en juin. Elle avait sept ans. Leur carriole trottait sur un chemin crotté. Elle était heureuse et avait demandé : "Qu'est-ce que nous avons, maintenant ? – Un accouchement", avait répondu son père. Il avait laisser filer les rênes et elle avait compris qu'il était complètement soûl.

La femme vivait seule dans une chambre. A peine avaient-ils passé la porte que le docteur avait installé sa fille sur un petit banc près du lit. La chambre était nue. Elle avait pressenti qu'ils en auraient pour un bon moment. Le docteur avait la réputation d'être un bon accoucheur, même quand il avait bu au point de se cogner aux murs, mais cette femme n'était pas encore arrivée au point critique. Le docteur avait travaillé durement ce jour-là, ils étaient loin de chez eux, et s'en aller pour revenir au petit matin n'avait guère de sens. Elle avait observé son père avec inquiétude. A part le petit banc qu'elle occupait, il n'y avait pas d'autre siège dans la chambre. Le docteur s'était adossé au mur en fermant les yeux, mais il avait fini par s'asseoir par terre sous les yeux angoissés de sa patiente. Puis le docteur s'était assis sur le lit et avait demandé à la femme de se pousser un peu pour qu'il puisse s'allonger à côté d'elle. Un moment plus tard, il dormait.

Seule avec sa poupée, au bout de la pièce, elle avait senti ses oreilles s'enflammer. Pas un instant elle n'avait osé lever les yeux, mais elle avait deviné le sourire triste de la patiente de son père. Puis elle s'était rendu compte que la femme, elle aussi, bâillait. Quand son père avait commencé à ronfler, la petite fille, pour cacher sa honte, s'était mise à raconter une histoire à la poupée, tout bas, pour ne pas les réveiller.

Finalement le docteur sortit pour marcher un peu. En passant devant les baraques, il décida de faire une visite à Mary Niscaia. Mary avait du monde chez elle. Outre son neveu, il y avait la femme de Selcha et une voisine. Par terre gisait un homme sous des couvertures. Mary ne bougea pas de son lit. Elle demanda au docteur de s'approcher. Elle semblait en plus mauvais état.

— J'ai fini par l'attraper, dit-elle. Mais lui, c'est plus grave. Je vous parie qu'il ne passera pas la journée de demain.

L'homme qui était par terre souriait comme s'ils parlaient d'un autre. Mary s'en prit à son neveu.

— Celui-là n'a rien, mais il passe son temps couché. De temps en temps il va donner quelques coups de pelle, et puis il revient. Tu en as enterré combien, hier ?

— Beaucoup.

— Trois. Pour lui, "beaucoup" ça veut dire plus de deux. Pourquoi tu as quitté l'école ?

Elle ne reçut pas de réponse.

Le vent résonnait sur les tôles comme des aboiements lointains. Le froid entrait à travers le plancher. Les murs étaient calfeutrés avec des journaux. Mary vivait dans cette baraque depuis l'époque des Dobson. Elle n'était jamais retournée dans son kauwi.

Ils restaient tous muets, dans l'attente de la prochaine phrase de Mary. Selcha entra et cligna des yeux, surpris. Il n'avait plus son air bravache. Il avait la fièvre depuis plusieurs jours et regarda le docteur sans espoir. Mais il ne semblait pas encore trop mal en point. Les mauvaises langues disaient qu'il gardait la moitié d'une baleine enterrée dans le bois pour la prochaine disette.

Mary continuait à manifester sa réprobation.

— Tu vas rester là toute la journée ?

Le neveu la regarda froidement, marmonna une obscénité dans sa langue et finit par s'en aller. Mary eut du mal à se recoucher.

— Gros tas de merde, murmura-t-elle. Maintenant, il ne pense plus qu'à se tirer. Il se fout de tout. Il a travaillé une semaine à la scierie, pas plus ! Et tout de suite il s'est mis à boire. Le jour où il voudra me battre, je le tuerai. Personne ne lève la main sur moi. J'ai travaillé dix ans à Buenos Aires dans la même famille et ils n'ont jamais élevé la voix. Vous saviez que j'ai passé dix ans là-bas ? Parfois, je me sens tellement triste d'être revenue… Allons, aidez-moi un peu…

Elle prit les mains du médecin. Elle regarda les autres du coin de l'œil. Elle voulait lui confier un secret et avait les yeux pleins de larmes. Elle lui murmura à l'oreille :

— Docteur, dites-moi pourquoi nous mourons tous.

VII

TIBERIUS SEVERUS MAMELUKE

Tatesh Wulaspaia (à droite)

Ils campèrent au bord de la clôture, en cherchant le moyen de parvenir à Lackawana. Ils étaient près d'une rivière qui formait des méandres : en marchant en droite ligne, ils auraient à traverser plusieurs fois son cours. Les enfants coururent pêcher des truites, mais ils ne tirèrent qu'un poisson tout ridé qui eut quelques soubresauts en sortant de l'eau.

Puis arriva Kamen avec les siens et ils décidèrent de continuer ensemble. Avec Tatesh, ils évoquèrent l'époque où l'on pouvait arriver sans problème jusqu'au promontoire des phoques. Camilena, que tout ce bavardage ennuyait, reprit ses récriminations. Et les flamants pris dans la glace ? Et les collines couvertes de baies ? Et les oiseaux qui dormaient les ailes déployées ? Elle maudit la plaine venteuse et ces interminables fils de fer. La nuit, la nostalgie la prenait. Souvent elle sursautait, croyait entendre le bruit d'une cascade tombant dans la mer ou la plainte lointaine des glaciers. Fini le temps où les arbres poussaient sur toute la côte, où les crabes couraient au fond de l'eau et où les oursins était si gros qu'ils éclataient.

Ils reprirent le voyage beaucoup plus tôt que prévu. Ce fut par la faute de Kamen qui voulait absolument chasser un mouton. Il s'éloigna un matin sans qu'on puisse l'en empêcher et tous comprirent qu'ils devaient lever le camp. Pourtant ce fut une journée tranquille. Camilena se mit à confectionner un filet, pendant que les enfants se poursuivaient en se lançant des mottes de boue.

Ils pressentirent que la chance leur avait tourné le dos quand Kamen arriva le lendemain en portant une bête sur ses épaules. Tatesh partit en courant et les autres le suivirent. Ils soupçonnaient, au grand désespoir de Tatesh, qu'ils allaient au-devant d'un rendez-vous fatal. Kamen rapportait un bélier qui n'avait jamais été tondu. C'était un reproducteur de Quatermaster. Tatesh eut des mots avec son compère et ils en vinrent aux mains. Il connaissait bien la catégorie de bêtes à laquelle ils ne devaient jamais toucher, mais il l'aida quand même à poser le bélier par terre.

Cette nuit-là, en observant le ciel, ils découvrirent que l'été finissait. De la côte venait le tumulte de phoques en train de se déplacer. Les enfants dormaient près des flammes. Le squelette de Tiberius Severus Mameluke luisait sous la lune. La colère de Tatesh était passée. Il se dit que son destin était scellé depuis les jours où son père travaillait comme péon et où il châtrait les moutons avec les dents. Tatesh avait écouté cette histoire des milliers de fois. Les châtreurs entaillaient la bourse, faisaient descendre les testicules d'un coup et savaient mordre les cordons au point le plus délicat. Après quoi ils crachaient discrètement sur le côté. Son père y avait pris tout de suite goût et il les gardait longtemps dans sa bouche, jusqu'au jour où il avait commencé à mastiquer lentement et à avaler en cachette. C'était le moment le plus fascinant du récit. Mais son père ressentait toujours la même honte quand quelqu'un s'apercevait qu'il n'avait plus d'oreilles.

Tatesh n'avait jamais oublié la manière dont ils avaient marché vers le sud avec sa mère. En veillant ainsi sous les étoiles, il ne pouvait que se souvenir de ce voyage effectué vingt ans plus tôt par le même chemin, mais dans le sens inverse. Bien qu'ils aient quitté très vite la terre des moutons, leur mère les avait obligés à continuer à marche forcée. Ils traversaient le territoire des Parrikens du Sud-Est et faisaient tout pour les éviter. Ils cherchaient leur nourriture sur la côte, s'aménageaient un abri le soir et repartaient à l'aube. Ils ne voulaient pas demander d'autorisation pour continuer leur route, mais bientôt la nourriture s'était mise à manquer et ils avaient décidé de passer la nuit dans le prochain hameau.

Mais le lieu était pratiquement désert, car ses habitants étaient partis chasser. Une vieille leur avait proposé de rester, en s'excusant de sa pauvreté. Pendant qu'ils essayaient de se réchauffer et que sa mère gardait le silence, cette vieille avait expliqué que les moules de toute la côte étaient malades. D'un tronc pendait un sac rempli de neige qui dégouttait à côté du feu. Une femme léchait son nouveau-né.

Ce matin-là, Tatesh s'était réveillé en sursaut. Il se passait quelque chose dans la vallée. La vieille écoutait près de l'entrée. De la vallée parvenait une grande rumeur. Il avait entendu sa mère dire : "Ce sont des femmes qui effraient les guanacos." Tatesh avait imaginé les guanacos courant vers les hauteurs où les guettaient les chasseurs. Elles les avaient peut-être surpris dans leur sommeil, les pattes repliées sous le ventre et le poitrail reposant sur le sol, pendant que la neige les recouvrait. Il avait aussi imaginé leur panique en entendant les femmes et il avait eu envie d'être dans la vallée. Il avait senti combien son père lui manquait. Une fois, il l'avait vu chasser un mâle solitaire qui portait les cicatrices d'anciens combats. Son père avait découpé les délicats morceaux de graisse qui se trouvaient derrière les orbites et les avait avalés d'une bouchée. Puis ils avaient ouvert le ventre et en avaient retiré les tripes pour mettre à la place la tête et les pattes, et le guanaco s'était trouvé réduit à la taille d'un sac insignifiant. C'était le temps où son père chassait encore les guanacos et n'était pas obligé de mendier.

Ils s'étaient donc dirigés vers le sud avec leur mère. Ils marchaient dans les bois obscurs et, un jour, ils avaient décidé de rester sur la plage. Du sable émergeaient les mâts d'un voilier enterré. Pendant que ses frères faisaient une cabane contre le grand mât, Tatesh avait parcouru la côte en ramassant du bois d'épaves pour alimenter le feu. Puis il s'était couché par terre pour dormir. Au loin, un phoque nageait sur le dos et deux femelles s'ébattaient dans les vagues. Son chien tournait autour des rochers pour y chercher des coquillages et une mouette dormait dans le vent.

Peu après, sa mère l'avait réveillé. La mouette n'était plus dans le ciel. Elle lui avait montré un bateau de fer qui entrait, de sorte qu'ils avaient ramassé leurs affaires et s'étaient sauvés. Sa mère était restée en arrière pour effacer leurs traces et, en quelques minutes, la plage était comme avant. Le bateau avait stoppé ses machines. C'était la canonnière *Rufino Quiroga* qui arrivait en lançant de la fumée. Reflétée dans l'eau, elle flamboyait comme une vision de l'enfer.

A bord ils étaient occupés à la manœuvre et presque personne ne regardait vers la terre. Mais dans une cabine de l'arrière, l'œil collé au hublot, un homme examinait la côte. Il s'appelait Recaredo Camargo Llerena et venait en qualité de représentant du gouvernement. C'était la première fois qu'il respirait librement depuis dix jours et il semblait rescapé d'une diarrhée épuisante. Il enviait les gens qui, durant une traversée, dévoraient des romans et écrivaient lettre sur lettre, ou qui, simplement, pouvaient concevoir une idée. Durant le temps qu'il avait passé sur le bateau, il était à peine sorti de sa cabine. Parfois, moyennant un effort surhumain, il se traînait jusqu'au carré et mangeait avec les officiers, pour retourner immédiatement sur sa couchette. Il n'avait pas de mal à retrouver le sommeil, même s'il lui arrivait d'être réveillé par un coup de griffe de la mer ou par les mouvements furtifs de son compagnon de cabine, un officier très discret qui s'habillait dans le noir et essayait de ne pas le déranger tandis qu'il l'observait depuis l'autre côté du monde.

L'envoyé ministériel aurait aimé un bateau plus grand et une cabine privée, comme il convenait à son rang et à son état lamentable. Une nuit, au milieu d'un coup de vent, il avait entendu frapper à la porte. L'officier était entré, l'air très pressé, avait rattrapé tout ce qui dégringolait pour le poser sans façon sur le plancher, y compris le mémoire confidentiel que Recaredo avait laissé choir sur sa poitrine en abandonnant sa lecture. Quand celui-ci s'était réveillé de nouveau, il faisait jour et toute trace de coup de vent avait disparu. Son compagnon se rasait devant le lavabo. Après avoir passé sept fois le rasoir sur son visage, conformément à l'article quatre, il s'était rincé dans la cuvette et avait découvert Recaredo dans la glace. Il lui avait annoncé avec un sourire qu'ils venaient de jeter l'ancre. Recaredo avait sauté du lit pour regarder la plage déserte et les mâts enterrés. Il avait distingué les pics blancs et la neige qui descendait jusqu'à mi-pente. L'officier séchait son blaireau. Il se méfiait des civils à bord. Et puis, pour lui, la mission de Recaredo n'était pas claire. Il savait que le tapage fait autour des moutons était à son comble et que, *en haut*, on s'était enfin décidé à faire quelque chose. Il espérait seulement que la *Rufino Quiroga* et ses hommes seraient à la hauteur des circonstances.

Recaredo étudiait la montagne boisée et les éboulis pelés. Il avait découvert une douzaine de phoques foudroyés sur les rochers. De très près seulement, un observateur minutieux aurait noté qu'ils dormaient profondément.

L'imminence de l'action le bouleversait. Il était proche de la retraite. En trente ans de ministère, il n'était jamais sorti de son cagibi du troisième étage débordant de dossiers et avec vue sur un jardin abandonné. Il se demandait s'il n'allait pas perdre son poste. Il arrivait sur un bateau de guerre, pour une expédition militaire critiquée par le Congrès. Cela semblait une mission explosive pour un petit fonctionnaire, le genre de responsabilités qu'il avait esquivées toute sa vie et qui, aujourd'hui, par la faute de quelque canaille, lui étaient tombées dessus.

Puis il était revenu dans la cabine déserte et avait remis ses papiers sur la table. Il avait débouché l'encrier d'argent. Ses rapports impeccables, bourrés d'annexes et de graphiques, jouissaient d'une certaine réputation. C'était sa bataille quotidienne : la lutte constante pour maintenir l'indispensable tradition. Mais, pour le moment, il ne parvenait pas à se concentrer. Il avait écrit "Monsieur le ministre de l'Intérieur" et était retourné au hublot. A l'arrière flottait leur drapeau. Il avait eu un spasme patriotique. Là-bas, c'était l'île aux Tempêtes qu'il ne connaissait que par les dossiers. Sur son bureau de Buenos Aires, il gardait trois rapports : *Déploiement du pavillon britannique à la mission d'Abingdon*, *Fondation de New Liverpool (enquête avant instruction)* et *Projet de l'Amirauté anglaise de fermer le détroit de la Grande Neige avec des chaînes*. Ils lui avaient été communiqués peu avant son départ. C'étaient trois liasses volumineuses protégées par le sceau "Secret Défense". Cela donnait une autre dimension à son voyage. Il avait relu les instructions avec des yeux neufs. Il avait compris que sa mission insignifiante ("Transfert des indigènes sur l'îlot Barrow") recouvrait quelque chose de mystérieux et de profond qui impliquait la patrie tout entière. Plus tard, il tenterait d'expliquer à sa femme la signification de tout cela. L'appareillage était imminent et l'automne tirait à sa fin.

C'était elle qui portait la culotte. Chaque soir après le dîner, depuis presque trente ans, ils parlaient de la même chose. Elle connaissait toutes les avanies essuyées par son mari dans le vieux ministère. L'été précédent, par une fatalité bureaucratique, il avait dû affronter une enquête administrative. Il en avait beaucoup souffert et, une nuit, elle avait dû le secouer furieusement pour le faire remonter à la surface. "C'est quoi, le document 9-50 ?" lui avait-elle demandé tandis qu'il haletait dans ses bras. "Je rêvais donc de ça ?" avait murmuré Recaredo Camargo Llerena. "Oui, et aussi des contrats. Tu lançais des ruades comme une mule." Recaredo avait soupiré : "Je vais donner ma démission." Mais, quand ce voyage s'était présenté, les choses avaient changé. Elle éprouvait une crainte indéfinissable. Durant toutes ces années, elle avait souffert dans sa chair de chaque humiliation infligée à son mari. Maintenant elle se demandait ce qu'ils pouvaient bien manigancer. La nuit du cauchemar, il avait pleuré sur son sein. "Tu as déjà vu les trapézistes quand ils se lancent sur un autre trapèze ? C'est comme ça que j'entre chaque matin dans cette saloperie de ministère. Je ne sais jamais si je vais trouver quelqu'un qui me tendra une main pour me rattraper." Et pourtant, quelques heures avant d'embarquer, il semblait s'être repris. Il parlait des Anglais comme s'il allait les écorcher vifs.

Elle l'avait accompagné jusqu'à la darse. A quai, la *Rufino Quiroga* semblait bien peu de chose. Recaredo Camargo Llerena repoussait le moment de l'embarquement. Elle lui avait arrangé sa cravate : "Fais attention à ces Indiens." Une pluie fine tombait. Dans la rue du port s'avançait une figure légendaire, homme fort d'un autre ministère. Recaredo Camargo Llerena avait compris que le gouvernement avait les yeux fixés sur lui et qu'on lui envoyait une huile pour lui souhaiter bon voyage. Mais le personnage avait continué son chemin pour aller déposer une enveloppe cachetée dans les mains du capitaine.

Au dernier moment, un prêtre était arrivé en courant avec un colis pour le père Lorenzo Giacomo. Cela ressemblait à un paquet de livres mais son porteur avait expliqué qu'il s'agissait de gelée de coing, un envoi plus logique pour un vulgaire curé de campagne. Recaredo ne connaissait pas le père Lorenzo, mais il se l'imaginait : couteau à la ceinture, habile lanceur de lasso, prédicateur peu inspiré, homme de ressources infinies (capable de célébrer la messe avec du gin s'il manquait de vin).

Le prêtre était resté un moment sur le quai. Il voulait se renseigner un peu sur le voyage. Etait-il vrai qu'ils allaient conduire des indigènes chez le père Lorenzo ? Recaredo avait répondu négativement : les ordres disaient seulement qu'ils devaient être déposés sur Barrow. Le prêtre avait paru déçu. Il correspondait avec le père Lorenzo Giacomo et celui-ci semblait de plus en plus fatigué. "Il a peur qu'on ne finisse par fermer la mission, avait-il expliqué à Recaredo. Nous avons passé dix ans ensemble. Quand je pense que nous étions parvenus à avoir plus de trois cents pupilles à Río Agrio. Mais même avec ça, nous n'avons pas réussi à faire taire nos ennemis. Vous connaissez leur dernière invention ? Que nous truquions nos photos pour montrer beaucoup d'enfants."

Puis il avait pris congé. Mais le bateau restait encore à quai et un journaliste avait réussi à s'en approcher. Il était tombé sur Recaredo avec un questionnaire, tout en semant ses papiers par terre. Alors, comme ça, le gouvernement bougeait enfin ? On allait vraiment reléguer les indigènes dans la mission de l'îlot Barrow ? Qui était derrière tout ça ? Avait-on enfin cédé à la pression des éleveurs de moutons ? Pourquoi ne retirait-on pas plutôt la police des estancias ? Etait-il exact qu'à Sandy Point on préparait une adjudication publique de Canoeros ? Etait-il exact que la *Rufino Quiroga* allait revenir à Buenos Aires chargée de bonnes à tout faire ? Est-ce qu'il savait que le ministre était convoqué devant le Congrès ? Recaredo ignorait ce dernier point et avait pâli en l'entendant. Ils devaient crier, car le bateau appareillait. Le journaliste hurlait de plus en plus fort. Recaredo s'était cramponné au bastingage. L'homme courait le long du quai, tout en continuant à perdre ses papiers. Recaredo avait esquissé un salut, comme une tentative de le calmer. Il était de nouveau en proie à la panique.

Leur mère avait prédit que, bientôt, ils ne trouveraient plus d'endroit où se mettre. Puis la pluie était venue et ils l'avaient regardée tomber en silence.

Que pouvaient-ils dire de plus ? Ils se trouvaient à la dernière ligne des arbres, à mi-pente, sous les troncs tordus qui arrêtaient les avalanches. De là, ils surveillaient le navire. Ils étaient depuis deux jours sans nourriture ni feu, mais ils n'avaient plus à attendre longtemps. La côte fourmillait d'hommes. Le matin, une vedette était passée avec plusieurs prisonniers à bord. Tatesh avait reconnu la vieille du kauwi. Soudain, le navire avait tiré trois coups de canon contre une montagne voisine. Leur mère, plus alarmée que jamais, avait admis à contrecœur qu'il fallait fuir et que la seule issue était le bois du Bélier.

Le soleil se reflétait sur une épave. Au loin des guanacos rentraient dans le bois. Près de la canonnière les corbeaux dévoraient le cadavre flottant d'un phoque. De la hauteur on voyait tout avec netteté. Les soldats ratissaient la plage en glissant sur les rochers visqueux. Puis, après s'être largement déployés, ils commençaient à gravir la montagne. De sorte qu'à leur tour, ils s'étaient levés et avaient entrepris l'ascension, finalement résignés à franchir la crête pour se diriger vers le dernier refuge possible, dans les domaines ténébreux du Bélier sans Tête.

Au début, tout s'était passé calmement. Le vent leur brûlait le visage, la neige était dure et l'on pouvait se coucher sur le sol sans même être mouillé. Il était encore facile d'allumer un bon feu avec les branches basses des prunelliers et aussi de trouver du bois sec sous les troncs déracinés. Il y avait des traces de renard parfaitement imprimées et des traces d'oiseaux qui mangeaient les insectes nocturnes. Plus avant, ils étaient passés près d'un tas de fiente labouré par des animaux à la recherche de bousiers. Ce bois ne semblait pas différent des autres. Les empreintes persisteraient jusqu'à la neige suivante. De temps en temps le silence était rompu par la chute d'un amas de neige.

Puis le froid avait un peu faibli et, à midi, ils avaient bénéficié d'un instant de soleil. Une pluie fine tombait des arbres, aussi avaient-ils pressé le pas. Ils suivaient une rivière gelée, sous une galerie de chênes dont les cimes se rejoignaient. Les branches s'étaient chargées de gouttelettes et la lumière était devenue très étrange. Ses frères s'étaient réjouis du spectacle et ils avaient disputé des courses sur la glace tandis que les chiens aboyaient. Ensuite le temps s'était couvert et le bois avait cessé de ruisseler. Leur mère avait sorti une outre en peau d'outarde pleine d'huile de phoque et ils y avaient tous bu. Ils avaient fini par quitter la rivière et ils marchaient en silence, poursuivis par le bruit de leurs pas.

Plus personne n'était gai. Sur leurs têtes rôdait l'horreur de la nuit. Chacun interprétait à sa façon les avertissements du bois. Il y avait des fougères de la taille d'un homme, des plantes couvertes d'abcès et des arbres aux formes biscornues. Beaucoup de prunelliers étaient écorcés jusqu'à une hauteur de deux mètres, apparemment rongés par des mâchoires voraces. Le froid était si fort que les troncs étaient fendus, de la racine à la fourche. Mais le plus repoussant de tout était l'odeur de bélier qui imprégnait l'air. Tatesh s'était rappelé les troncs dénudés et les énormes paquets de laine accrochés aux branchages, il s'était repenti d'être dans le bois et avait pensé qu'ils n'en sortiraient jamais vivants.

Au petit matin, ils avaient été réveillés par des mugissements impressionnants. Tatesh s'était levé, affolé, et, dans l'obscurité, s'était cogné à leur mère. Pour comble, le feu s'était éteint. Le plus petit pleurait, jusqu'à ce que l'un d'eux s'occupe de le faire taire. Mêlés aux mugissements, il y avait une autre sorte de bruits, qui ressemblaient à des cris humains. Elle leur avait demandé de ne pas bouger : cela ressemblait à une course furieuse qui venait directement sur eux. Leur mère avait soufflé désespérément sur le foyer jusqu'à ce que des flammes finissent par éclairer son visage. Durant un long moment, ils n'avaient pas prononcé une parole. Puis Tatesh avait couru à la rencontre de la chose.

Peu après, dans les dernières ombres de la nuit, il avait vu approcher une masse enveloppée de vapeur, gélatineuse et noire. Il avait revécu la terreur d'une nuit où il avait entendu ses parents parler du Bélier sans Tête. Un gémissement lui avait échappé, tandis qu'il rampait dans les broussailles. Puis il avait mis sa tête sous ses bras et s'était aplati contre le sol. Mais la masse visqueuse avait changé de direction. Au milieu des cris et des coups de feu, Tatesh avait distingué des silhouettes d'hommes portant des lanternes et des fouets. C'était une équipe de cinq chasseurs de phoques qui poussaient un troupeau à travers la péninsule. Toutes les bêtes grognaient et une haleine fétide sortait de leurs gueules. Un mâle avait secoué sa crinière et pointé sur Tatesh ses yeux vitreux et myopes faits pour voir sous l'eau, comme s'il le distinguait vraiment. Mais il ne percevait qu'un paysage brouillé et les lueurs de lanternes. La bête était secouée de sanglots spasmodiques et son ventre émettait des gargouillis. Les hommes les menaient d'une plage à l'autre, vers un campement de chasseurs. Les phoques avançaient hébétés et perdus : ils leur faisaient passer le bois de nuit pour que la chaleur ne les déssèche pas. Malgré son épouvante Tatesh espérait que l'un d'eux resterait en arrière. Il pressentait que si un phoque changeait de route, il serait sacrifié sur-le-champ pour éviter une fuite générale. Mais cela ne s'était pas produit, les bruits s'étaient bientôt estompés et il n'y avait plus eu que les broussailles écrasées pour seul signe de leur passage.

Il était resté sans bouger jusqu'au lever du soleil. Au loin le brouillard arrivait. C'était la direction qu'avaient prise les phoques. Tatesh avait eu l'intuition qu'il ne devait pas franchir cette ligne. Il avait battu prudemment en retraite. La neige était vierge d'empreintes et, maintenant, l'odeur de bélier recouvrait la puanteur des phoques. Il avait peur pour les siens et se demandait s'il les retrouverait. Il avait décidé qu'ils devaient retourner sur la plage malgré le bateau de fer. Il était vite tombé sur leur campement. Il avait trouvé ses frères en train de grelotter et les avait incités à rebrousser chemin. Comme leur mère n'avait dit mot, tous s'étaient mis en route. Trois jours plus tard ils repassaient la crête et se retrouvaient face au ciel furieux de l'Est et à l'océan scintillant. Sans trop de surprise, ils avaient vu que la canonnière était toujours au même endroit. De nouveau fouaillés par la faim, ils étaient descendus vers la côte. Leur mère semblait résignée. C'étaient les dernières heures qu'ils passaient ensemble, avant qu'ils ne soient transférés sur Barrow et que leur mère ne finisse ses jours comme domestique à Buenos Aires. Mais, pour le moment, ils avaient retrouvé le moral et bavardaient dans la descente. En entendant leurs voix, les soldats qui tuaient le temps sur la plage avaient pointé leurs fusils chargés. Au cours de la dernière semaine ils avaient éliminé un certain nombre de ces créatures, aussi avaient-ils regardé avec stupeur les sept Parrikens qui se dirigeaient tranquillement vers eux.

Aujourd'hui, tandis qu'il luttait pour trouver le sommeil à côté des os nettoyés de Tiberio,

Tatesh se dit qu'ils étaient allés de nouveau trop loin et qu'ils le paieraient cher. Il se souvint du petit homme de la canonnière et maudit son cœur plein de dureté et d'amertume, certainement aussi noir que celui d'un chien de mer. Ses enfants reposaient tranquillement. Plus loin, Kamen dormait avec les siens et l'autre famille qui les accompagnait.

Le lendemain, pendant qu'ils mangeaient à la lisière du bois, ils virent un cavalier qui traversait la prairie. Tatesh retira le morceau de graisse qui fondait dans les flammes et éteignit le feu. Ils restèrent à l'abri des arbres pour observer le lointain cavalier. La prairie ne pouvait être traversée qu'en hiver, quand le sol était dur et devenait orange. Pour l'heure elle ressemblait au parc de Quatermaster mais, dessous, elle cachait un marécage. Ils firent des paris sur l'endroit où le cheval s'enfoncerait. La seule chose à faire était d'attendre que la chose se produise et que son cavalier prenne le parti d'abattre sa monture.

Mais ils étaient tous les deux très bons et leur parcours fut long. Les guetteurs décidèrent alors que cet homme pouvait peut-être réussir à traverser la prairie et que mieux valait le laisser faire : ils s'épargneraient ainsi la peine de retirer le cheval du bourbier. La perspective de côtelettes grillées les réjouit et ils tombèrent d'accord pour retarder leur départ vers Lackawana.

Par moments le cavalier descendait de sa monture. C'était un péon de Quatermaster. Le cheval avait de l'expérience, il savait où poser le pied et se trompait rarement. Mais sa progression devenait de plus en plus difficile. Il était couvert de sueur, chaque pas lui coûtait un effort et il avait du mal à se maintenir droit en sortant ses jambes de la boue. L'homme n'essayait pas non plus de le presser.

Vint le moment où toutes les directions se révélèrent fermées. Lorsque le cheval comprit cela, il refusa de continuer. L'homme ne le forçait pas. Il essaya de lui redonner du courage et observa la hauteur du soleil et le chemin parcouru. Puis il voulut faire demi-tour. Mais le cheval était déjà résigné.

Il restait quatre-vingts mètres à franchir jusqu'au bois. L'homme calcula la distance. Il se dit que la nuit allait tomber et qu'il ne convaincrait jamais le cheval. Il regarda les arbres proches et estima qu'il y parviendrait vaille que vaille, qu'il pourrait camper au bord de la rivière aux eaux couleur de rouille pour se sécher devant un feu. Il se résolut à desseller. Il vacilla sous le poids du harnachement. Il décida de le porter jusqu'au bois et de revenir ensuite s'occuper du cheval.

Celui-ci le suivit des yeux, oreilles dressées. Autrefois, une haine profonde avait existé entre eux. Il avait résisté à cet homme jusqu'à la limite de la mort et beaucoup avaient pensé qu'on ne pourrait plus jamais le monter. L'homme croyait que l'épreuve avait été nécessaire pour mater l'instinct meurtrier du cheval et que, sinon, personne n'aurait pu en venir à bout.

Enfoncé dans la tourbe jusqu'au ventre, le cheval finit par détecter l'agitation invisible sous les arbres. Mais l'homme restait confiant. Il posa la selle à la lisière et entreprit de revenir. Le cheval assista à sa lutte contre la boue et suivit la vibration de la forêt jusqu'à ce que l'homme l'ait rejoint.

L'homme saisit les rênes et tira dessus sans résultat. Puis il le menaça de son fouet et, finalement, passa deux doigts dans l'anneau de cuir qui servait à suspendre le fouet et roua le cheval de coups. C'était la façon la plus vile de le frapper, mais il n'y avait pas d'autre moyen. L'animal s'ébroua et essaya de dégager ses jambes de devant. L'homme ne s'arrêta pas avant que le cheval n'arrive à s'arracher. Celui-ci lutta courageusement et rua tellement que seuls ses yeux restèrent libres de boue. Il avait fait quelques mètres et semblait désormais condamné. Quand il s'arrêta, il était de nouveau enfoncé.

"J'ai devant moi deux heures de jour au maximum", pensa l'homme au cheval. Il regarda l'espace qui restait à parcourir et pensa qu'il avait été un imbécile d'entrer seul dans la tourbe, que tout aurait été simple s'il avait eu quelqu'un pour l'aider à tirer le cheval par la sous-ventrière. Il s'agenouilla près du cheval et essaya de le réconforter. Il se dit qu'en suant un bon coup, il pourrait trouver les jambes sous la boue. Il travaillait méthodiquement, avec les gestes habiles et économes d'un quinquagénaire.

Pendant l'heure qui suivit, ils formèrent équipe. L'homme fouillait dans la boue et le cheval s'agitait furieusement, si bien que, par moments, il semblait sur le point de réussir, mais les sabots s'enfonçaient de nouveau. Pourtant ceux-ci finirent par rester à l'air libre et l'homme s'écarta pendant que l'animal ruait pour se libérer. Puis il l'entrava en lui liant solidement les jambes. Il ne pourrait plus s'enliser de nouveau. Il roula une cigarette avec le tabac sauvé de la boue, découvrit que la nuit les avait rattrapés et fuma, appuyé contre le cheval. Celui-ci, sur le flanc, le regardait de ses yeux porcins pleins de malice. L'homme connaissait ce regard. Une fois, pendant son dressage, il avait pressenti la fureur que contenaient ces cornées opaques. Le cheval avait passé trois nuits au poteau, quand l'homme était venu tout près de lui et avait posé par terre un pot de graisse chaude. Le cheval était attaché avec un lasso très court qui le maintenait pratiquement pendu. Il était resté immobile pendant que l'homme lui frottait la nuque. Il semblait très endolori et l'homme se demandait s'il n'avait pas l'encolure brisée. Au bout d'un moment son regard s'était éclairci et l'homme avait perçu sa gratitude. Il avait décidé d'utiliser toute la graisse du pot. Le cheval respirait paisiblement tandis que les doigts massaient son encolure.

Maintenant l'homme sentait le froid de la nuit sur son corps mouillé, il pensa qu'ils couraient le risque de s'engourdir et qu'ils devaient progresser encore. Il lui fallait le sortir de la tourbe en le faisant tourner sur lui-même. Il le prit par les naseaux et par la crinière tressée, et lui courba l'encolure pour obtenir qu'il pivote. Mais le cheval résistait et l'homme se demandait combien de temps il lui faudrait pour le tirer de là.

A minuit le cheval était calme, tous deux maîtrisaient mieux la manœuvre et ils arrivèrent au bout du marais plus tôt que prévu. Dès que l'homme eut foulé la terre ferme, il le désentrava. Le cheval ne réussit pas à se relever. L'homme enleva la boue qui le couvrait et frictionna les muscles tétanisés. Puis il alla chercher la selle et les rênes en cuir cru. Il n'y avait pas de lune et on entendait la rivière couler. Le bois était toujours très tranquille.

A son retour, le cheval était debout. Une brise matinale soufflait. Pendant qu'il le sellait, l'homme pensa qu'il devait se mettre en route pour échapper à l'heure la plus froide. Il posa le dessous de selle en cuir sur la vieille couverture avant de mettre la selle et, après avoir serré étroitement les sangles, il plaça les peaux de mouton et le surtout en assujettissant bien les lanières aux sangles. Il se réjouit que tout soit resté vierge de boue. Le majordome de Quatermaster avait comparé un jour son harnachement aux selles des bouchers anglais. Il s'était demandé comment étaient ces gens-là et s'ils montaient comme les Anglais qu'il connaissait. Il pensa qu'il serait de retour à Quatermaster vers minuit.

Il avait passé une journée dans la tourbe. Il avait fini par s'en tirer.

Le cheval poussa un hennissement. C'était la première fois qu'il l'avertissait d'une présence insolite. L'euphorie de l'homme s'éteignit immédiatement. Puis il les vit sous les arbres, en train de savourer son infortune.

Il avait commis plusieurs erreurs. Il maudit l'idée qu'il avait eue de s'aventurer dans la tourbe et se reprocha de ne pas avoir abandonné le cheval quand il en était encore temps. Tandis qu'il reculait en direction du marécage, il se demanda s'ils se contenteraient du cheval. Mais il était déjà trop tard ; au même instant, une balle lui enleva la moitié du visage. Puis le cheval tomba. L'homme eut juste le temps de découvrir, comme une amère révélation, que ce rouan noir capable de sentir un Parriken à deux lieues lui avait fait défaut. Il pensa cela en courant vers le marais, la mâchoire ballante. La vérité était encore plus terrible. Les

Parrikens avaient été là tout le temps et son cheval l'avait trahi.

Mais il était déjà un homme mort. De nouveaux coups de feu avaient retenti et il gisait dans la tourbe, après être tombé bruyamment. Des engoulevents s'envolèrent, épouvantés. La brume montait des herbages. Sous le poids de l'homme, l'eau commençait à sourdre.

VIII

THE FUEGIA LAND FARMING CO

L'archevêque de l'Amérique du Sud

Seymour était dans l'île depuis peu. C'était le chien de Larch. Il avait débarqué avec Larch à l'âge de cinq ans et se trouvait donc déjà dans sa maturité de chien. Aussi loin que remontait sa mémoire, il avait toujours vécu avec cet homme. Il se souvenait de leur voyage sur un bateau qui lançait des appels de sirène dans la brume : à bord il y avait un autre chien, très adroit pour marcher sur le pont. Il se déplaçait en pleine tempête avec la même agilité que les matelots, probablement aussi bien que le steward qui apportait la soupe. Pour sa part, Seymour avait passé tout le voyage dans la cabine de Larch. Il ne pouvait pas garder la moindre bouchée dans son estomac.

A Valparaíso ils étaient descendus tous les deux à terre. Ils étaient allés au *Roland*, où les riches habitués consommaient la bière par mètres cubes. Le garçon qui apportait les commandes disposait les rangées de bouteilles sur la table.

Seymour contemplait le mouvement du *Roland* de ses yeux de chien, couché aux pieds de son maître. De la table de Larch, on pouvait voir la ruelle des putes et l'église mère. De temps en temps, un habitué sortait faire un tour et on le voyait bientôt entrer avec une dame dans un des nombreux hôtels. Sur une porte, une inscription à la craie disait : "Maison particulière." On sentait que ses propriétaires étaient fatigués des confusions.

Les alentours du *Roland* sentaient comme à Marseille. Tout en l'assaillant de questions, le compagnon de table de Larch lui prodiguait de copieuses informations sur Río Agrio. Il était représentant de la Lloyd's à Valparaíso et passait sa vie à se battre pour tenir ses archives à jour. Tout ce qui pouvait se passer sur la côte avait de l'intérêt pour la Lloyd's. Après quoi il l'avait invité à manger chez lui, chose qu'il devait finalement regretter.

Rien à voir avec une réception à l'anglaise. Il y avait eu un grand plateau de fruits de mer et, pour convive, un invité local qui s'était retiré très tôt. Larch avait passé la soirée à parler de laine. Ce qui avait conduit ensuite l'agent de la Lloyd's à dire à sa femme, avant de s'endormir dans le lit conjugal : "Il va se faire éjecter à coups de pied de Río Agrio. Il débarque à peine et il traite déjà tout le monde comme s'il était dans un protectorat britannique." Mais sa femme rêvait de vivre dans une colonie. A la différence de son mari anglo-chilien, elle détestait le pays où ils se trouvaient. Lui, en revanche, buvait des tonnes de bière, se liait d'amitié avec les autochtones et n'écrivait jamais à Londres. D'après Larch, ce devait être déprimant d'assister à la déchéance d'une femme aussi douée qu'elle. C'était le problème de certaines Anglaises de trente ans. Mais elle avait fini par lui paraître aussi insipide que les polices d'assurance de son mari et, après le café, il s'était attaché à bien le leur faire sentir. Pourtant, il était resté longtemps avant de quitter cette maison. Le fauteuil était revêtu d'un tissu à fleurs et les tableaux criards étaient les mêmes que ceux qu'il avait vus à Sydney ou au Cap. Le feu répandait une douce chaleur dans la bibliothèque. Puis une bonne avait servi du porto. Larch avait vidé son verre en deux lampées. Tout en caressant son chien, il avait pensé : "Où que nous soyons dans le monde, nous sommes capables d'installer le même foyer."

Seymour dormait, roulé en boule. La voix de Larch lui parvenait de loin, et aussi les pas de la femme sur le tapis. Un orage imminent tourmentait son rêve et lui gâchait son flair. Du coup, il s'était cru au *Roland*. Le clocher de l'église mère avait surgi de la brume, au bout de la ruelle des putes. Avec les premiers éclairs, ces images étaient devenues les quais de Tilbury Dock, mais là il ne pleuvait plus et Seymour marchait avec Larch entre les hangars. Ils passaient près d'un dépôt qui sentait le poivre, arrivaient devant une construction en pierre et montaient un escalier au bout duquel se trouvait une porte : *The Fuegia Land Farming Co.* Le bureau de Larch donnait sur les bassins du port. Quand arriverait le prochain bateau, ils descendraient surveiller le déchargement. Seymour saurait reconnaître le moment, même si personne ne l'appelait. Larch pouvait sortir plusieurs fois dans la journée pour n'importe quelle raison sans que Seymour ne bouge. Mais lorsque venait l'heure du déchargement, il bondissait derrière son maître et parcourait les quais comme s'il était au courant de l'effet qu'ils produisaient tous les deux. Larch était fier du chien et du couple qu'ils formaient.

Tous les quinze jours, Larch participait aux enchères du Wool Exchange. Tôt le matin, fin prêt pour la séance, il pénétrait dans le vieux bâtiment de Coleman Street et, avant de s'installer dans la salle des ventes, faisait un tour dans les étages. Il marchait le carnet à la main entre les présentoirs couverts d'échantillons, en caressant les longs brins de laine de moutons d'Islande, les boucles de mérinos australiens et les mèches de Nubie et de Valachie, pour s'arrêter finalement aux produits de Sandy Point et de Río Agrio. Durant la séance, il notait les prix de chaque lot, qui devaient revenir aux éleveurs insulaires dont les noms figuraient dans des catalogues luxueux. Les adjudications du Wool Exchange étaient célèbres et tous les filateurs de Liverpool y assistaient. C'était une routine plaisante dans la vie de l'Anglais. Après chaque séance, il marchait dans Barnaby Street. Certaines fois, il prenait par Ravenrookery, d'autres par New Ireland, itinéraires obligatoires si l'on voulait rejoindre le Strand. En été les habitants sortaient de leurs tanières. Aux fenêtres sans vitres, les femmes rivaient leur regard sur Larch. Leurs enfants jouaient entre les flaques, sautaient par-dessus les tas de cendres et disparaissaient subitement parmi les immeubles en ruine. Ils étaient tous nu-pieds et semblaient aussi repoussants que les créatures qui dormaient au bord de la Tamise. De temps en temps, quelqu'un revenait de son abominable travail et provoquait un immense tumulte. Il régnait une odeur de légumes pourris, de lard rance et de déchets de thé mélangé à des feuilles de prunier.

Plus tard, dans l'île, Larch devait se remémorer ses promenades en direction du Strand.

Dès qu'il avait mis le pied dans un kauwi, il avait retrouvé le même genre d'atmosphère que dans le vieux quartier. Sur le visage des Parrikens se lisaient la même versatilité, le même air de buveurs-nés, la même indifférence pour l'avenir et les mêmes menaces que chez les gens de Ravenrookery et de New Ireland.

Le père Lorenzo passa le saluer. Il observait ce cérémonial avec chaque nouvel arrivant. Il avoua à Larch que, depuis quelque temps, il n'aimait plus sortir.

— J'ai eu soixante-dix ans hier, dit-il. Mes articulations me font souffrir.

Il lui offrit une bouteille de l'apéritif local, préparé par les sœurs de Río Agrio.

— Ça ressemble à du parfum, dit-il. Mais gardez-le quand même, on ne sait jamais.

Larch rangea la bouteille sur l'étagère des fortifiants. A dire vrai, il attendait la visite du prêtre. La veille au soir, il avait reçu un message : "Le père Lorenzo passera vous voir. Faites en sorte de le rassurer. Personne de Quatermaster n'est dans le coup." Le langage de Crosbie était chiffré, mais Larch connaissait la clef.

Le prêtre voulut savoir s'il allait faire une demande de terres. Larch hocha la tête.

— Mon Dieu... dit le curé. Ici, tout le monde ne veut que ça. Mais ils préfèrent les terres occupées. Vous êtes au courant de ce qui s'est passé l'autre jour ? Ils ont éventré une Parriken enceinte d'un coup de machette. Vous savez pourquoi ?

— Non.

— Ça fait quatre oreilles au lieu de deux.

— Voyons, mon père, vous ne croyez pas à ce genre d'histoires.

Le père Lorenzo était hors de lui. Mais son visage restait neutre. Pour l'heure, il enlevait une botte.

— Excusez-moi, mais je suis moulu, dit-il en se massant les orteils.

Puis il reprit :

— Si vous voulez quelques hectares, il faut vous dépêcher. Au Congrès, ils sont débordés. Demandez à vos amis anglicans. Vous êtes anglican vous-même ?

— Disons que je suis presbytérien, répliqua Larch.

— Ecossais, j'imagine. Alors nous nous entendrons mieux. Les anglicans sont des intrigants.

— Les anglicans d'Abingdon ?

— Ceux de Port Tom. Les meilleurs Rambouillet de toute l'île. Au début, on ne voulait pas leur donner un mètre. Ici, on nous sent toujours comme une colonie anglaise. Mais nous nous sommes régénérés.

Il eut un sourire plein de sous-entendus en regardant le plancher.

— C'est vrai que les enfants du pasteur de Port Tom ont chacun un valet indigène ?

Larch rangeait ses livres. Le prêtre accentua son expression amère.

— Ce sont de pauvres gens, en fin de compte, reconnut-il. Comment ne se sentiraient-ils pas floués ? Nous savons bien comment on fait, à Londres, pour les recruter. On leur décrit tout ça comme s'il s'agissait du parc de Richmond. J'imagine leurs rêves en partant... Et qu'est-ce qu'ils trouvent quand ils débarquent ? une baleine pourrie sur la plage.

Il y avait sept livres en tout. Larch les sortait l'un après l'autre, soufflait la poussière de la tranche et les remettait sur l'étagère, en commençant par le *Baedeker*. Le prêtre le regardait avec ravissement. Une pensée impossible à réprimer le travaillait. Il tenait encore un pied dans ses mains. Il avait des orteils transparents et minces qui semblaient gelés. Il murmura :

— Mon oncle avait un livre relié en peau humaine…

Il eut du mal à revenir au présent. Il enfila le bas et la botte, et reposa son pied sur le plancher.

— Les choses vont très vite, soupira-t-il. Mais nous passons notre vie à parler. Vous voulez que je vous dise ce dont ils discutent en ce moment à Buenos Aires ? Si les Parrikens sont des citoyens ou non. Qu'est-ce que vous en pensez, vous ?

— La politique n'est pas mon fort.

— Je m'en réjouis. Les prêtres et les hommes politiques ne s'occupent que de généralités.

— J'ai d'excellentes informations sur votre travail, mon père.

Le prêtre l'étudia par-dessus ses lunettes avec son expression impitoyable d'entomologiste. Larch comprit qu'il *devait* l'écouter.

— Vous imaginez pourquoi je suis là, dit le père Lorenzo.

Larch fit signe que oui.

— Quatermaster fait deux millions d'hectares, poursuivit le prêtre.

— Un peu moins.

— Et vous prétendez les maintenir au-dehors.

Il devenait même arrogant. "Allons mon père, avait envie de dire Larch. Vous aussi,

179

vous avez vos petites terres. Et mieux vaut ne pas parler de vos *mucamos*." Mais il se contenta de répliquer :

— Est-ce qu'on vous a dit que je suis seulement chargé de l'acheminement de la laine ? Pourquoi ne parlez-vous pas de ça à Crosbie ?

— Je vous en prie…

— Eclairez-moi sur un point. Nous perdons des milliers de moutons. Nous ne pouvons pas continuer à nous croiser les bras.

— Vous croiser les bras ?

— Nous avons un Code pénal qui nous protège.

— Fantastique.

— Nous avons le droit de défendre nos biens.

— Vous n'avez pas le droit de les massacrer.

— Tout irait mieux si vous ne couvriez pas les voleurs.

Il y eut un silence. Puis le prêtre dit :

— J'ai entendu parler de chiens.

— Quels chiens ?

— Vous avez fait venir beaucoup de chiens, ces derniers temps. Et ils ne ressemblent pas à des chiens de berger.

— On a toujours besoin d'un chien ou deux de plus.

— Il s'agit de cinquante.

— N'exagérons pas.

Le prêtre nettoya ses lunettes. Sa main qui tremblait annonçait une scène. Il venait pour parler de l'affaire du cotre *Espuma*, mais Larch n'avait pas de réponses. D'après ce qu'il avait entendu dire, c'était l'œuvre du contremaître de Quatermaster. Le père Lorenzo voulait des explications et Crosbie refusait de le recevoir.

Il s'agissait d'une affaire trouble, dont on avait eu connaissance peu avant son arrivée dans l'île. Comme il le faisait tous les trois mois, l'*Espuma* avait relâché ponctuellement à Mossel Bay, où devaient l'attendre les hommes de Crosbie. C'était le bateau de ravitaillement ; jusqu'à ce jour, la rencontre n'avait jamais failli. C'est pourquoi, quand il avait vu la côte déserte, le capitaine ne s'était pas trop inquiété. Il avait décidé de gagner du temps en débarquant tout sur la plage. Mais, les heures passant, il était reparti pour Sandy Point. La cargaison avait été laissée en plein air, recouverte d'une bâche.

Les hommes de Crosbie étaient arrivés le lendemain. Normalement, il n'y aurait pas dû avoir de problèmes : le temps était beau et Mossel Bay se trouvait dans les eaux de Quatermaster. Mais, dans l'intervalle, des Parrikens de l'Ouest étaient passés, en se dirigeant vers Río Agrio. C'était le groupe de Toribio-le-Feu, des ouailles du père Lorenzo. Les gens de Quatermaster n'avaient pas eu de mal à déchiffrer leurs traces. Sous la bâche, sept sacs de farine manquaient. Tous hurlèrent de rage, car la nourriture était sacrée. Comme on pouvait s'y attendre, ils avaient été expéditifs : quelques heures plus tard, Toribio-le-Feu et sa famille, encapuchonnés dans les sacs blancs, pendaient à des fils de fer accrochés à la fourche d'un vieux chêne mouillé.

Le père Lorenzo acheva son récit, enleva ses lunettes et, pendant un instant, ne fut plus qu'un homme brisé. Il accepta un verre d'eau et hocha la tête.

— Je sais pas pourquoi je me donne le mal de vous raconter ça… murmura-t-il.

Il était maintenant à côté des livres, le *Baedeker* dans les mains.

— Et vous savez ? dit-il soudain. La farine, c'est le vent qui l'a emportée. Ces Parrikens n'en connaissaient même pas le sens. Mon Dieu… Il suffisait de voir la tête de Toribio-le-Feu. Ils n'avaient jamais goûté au sucre, ni à rien de ce genre.

Larch le regardait en silence.

— Ils voulaient juste prendre les sacs, précisa le prêtre.

Il dit cela avec un soupir.

— Vous devez arrêter ça, murmura-t-il encore.

Il prononça ces mots avec une telle tristesse que l'Anglais se demanda si c'était bien le moment de l'inviter à partager son repas. Mais il y avait cette femme qui le regardait encore une fois d'un air pressant, du seuil de la cuisine, de sorte qu'il le pria quand même de rester. Le prêtre accepta sans un geste. Larch eut l'impression que ce prêtre savait fort bien les motifs de sa présence dans l'île. Il sentit qu'il portait sur le front la tache de son péché, comme le goudron du pont qui, sous les tropiques, reste collé aux côtes des matelots de quart quand ils se sont endormis.

Mais, après le déjeuner, le prêtre devait changer de registre. Il exposa son vieux projet de la Réserve. Sur une carte dépliée, il marqua les limites du terrain. C'était une idée ingénieuse, qui laissait un couloir vide entre la Réserve et les terres pleines de moutons. Moyennant un modeste sacrifice, disait le prêtre, chaque éleveur fournirait la viande pour l'alimentation de cinq familles. N'était-ce pas un investissement négligeable, en attendant que la Réserve fonctionne toute seule ? L'Anglais acquiesça, tandis que l'optimisme du prêtre s'affirmait. Celui-ci jura que le gouvernement donnerait la terre et s'étendit sur les détails de l'infirmerie, des installations de la laiterie et de la porcherie. Le projet semblait assez sérieux pour que Larch donne tous les signes d'assentiment que réclamaient ces grands yeux implorants. Le père Lorenzo était un vieux renard : dès qu'il vit les progrès qu'il avait faits, il ne voulut pas être ennuyeux et changea élégamment de sujet. Ils se transportèrent sous la galerie et le père but son cognac installé sur la chaise longue de Larch. Le soir révélait enfin la présence du phare. Le père Lorenzo réchauffait son verre entre ses doigts décharnés et rêvait de sa future chapelle. Elle aurait un autel en bois, avec la solidité d'un hangar, et il n'y prierait que prosterné. Les plans de la Réserve l'accompagnaient depuis dix ans. Il les avait dessinés de sa main, sous toutes les perspectives. Il les cachait encore à l'évêque, qui l'accusait de tramer des projets extravagants pour dissimuler la faiblesse de son rendement apostolique. Le père, qui sentait qu'un changement s'était produit, jouissait de la paix nocturne et contempla l'œil du phare comme s'il était la lumière du saint sacrement.

Le contremaître de Quatermaster ne quittait pas Seymour des yeux. Il s'appelait Corbera.

— Ne l'emmenez pas là-bas, suggéra-t-il, les autres chiens le tueront.

— Je ne pense pas, dit Larch.

— Vous feriez mieux de le laisser ici.

Ils parlaient espagnol, sur la demande de l'homme. Cela mettait Larch mal à l'aise. Sa prononciation était convenable, mais il ne plaçait pas l'accent où il fallait. Son visiteur le scrutait. A ce moment, des bêlements se firent entendre du côté de la mer.

— Des moutons ? demanda Larch, surpris.

— Des phoques, rectifia Corbera. Ils vivent sur l'îlot Grappler.

Larch écouta attentivement. La ressemblance était frappante. Il aurait voulu en parler, mais Corbera suivait son idée :

— Nous avons un règlement très strict pour les chiens.

— Chien qui mord un mouton, une balle dans le front… dit l'Anglais.

— Exactement.

— Ne vous en faites pas.

— Les chiens que vous avez amenés, nous les gardons enfermés.

— Vous avez bien raison.

— Ils sont vraiment si féroces ?

— Celui-là a tué un de ses congénères.

Il l'avait dit histoire de causer. Corbera était impressionné par Seymour. Le chien avait une cicatrice à la tête, soulignée par la lumière de la fenêtre, qui lui donnait un aspect très cruel.

— Il est pareil aux nôtres. De quelle race sont-ils ?

— Ce sont des chiens de Cuba.

— Nous ne sommes pas habitués à ce genre de chiens. Nous avions un gros chien de garde, mais nous l'avons donné parce qu'il faisait peur aux enfants.

Il était le bras droit de Crosbie. L'arrivée de Larch le préoccupait beaucoup. Il semblait également intrigué par les chiens de Cuba. Il essayait maintenant de le tenir éloigné de Quatermaster. Larch en déduisit que le plus gros problème de l'homme était son anglais

détestable. Il se demanda comment il s'arran-
geait avec Crosbie, vu le mépris de celui-ci
pour la langue de Corbera. Il décida de le trai-
ter mieux. Il ne pouvait pas se mettre tout de
suite mal avec quelqu'un qui devait travailler
avec lui.

— Ce chien-là est un animal convenable.
Pour le moment, nous resterons ici.

Corbera semblait rassuré. C'était ce qu'il voulait proposer depuis le début. Que Larch se
tienne à distance pour éviter des difficultés à
Seymour. Là-dessus, arriva la femme en portant
le plateau.

Ils mangèrent lentement la soupe. L'Anglais
mangeait sans cérémonie, comme les gens qui
vivent seuls. La nourriture était convenable et
la maison n'était pas désagréable. Crosbie lui-
même recommandait qu'il reste loin de Quatermaster.

Corbera changea de ton.

— Est-ce que Río Agrio vous plaît ? demanda-
t-il. Mr Crosbie habitait ici, autrefois. C'est le
premier chalet qu'a construit la Compagnie. Il
pointa sa cuiller vers l'horizon. Lackawana est
par là. Vous saviez qu'il y a vingt mètres de
différence entre les marées ?

La femme enlevait les assiettes. Elle s'appelait Luciana. Corbera la critiqua en aparté :

— Il vous faut un jeune Parriken. Vous en
faites ce que vous voulez. Ils finissent par
vous aimer.

Il prit congé.

Luciana proposa à Larch de s'asseoir sous la
galerie. Puis elle lui apporta une couverture. Il
prit un bref plaisir à contempler la mer, dans
ce calme insolite. Un porc pressé et des poules
névrotiques passaient en direction de la plage,

signe non équivoque que l'eau se retirait. Des colonies de macareux arrivait une odeur de poisson.

Cette plaine venteuse et ces collines lointaines ne correspondaient pas à l'idée qu'il s'en était faite, mais c'était vrai aussi qu'il ne s'attendait à rien de particulier. S'il avait dû choisir, il n'aurait pas su où poser son corps. Il y avait bien, dans un coin de sa mémoire, un endroit que, peut-être, il aurait désiré. Une église au loin et un pré où paissaient des vaches. Pour aller à l'école on passait par un verger, puis on arrivait à une maison avec un chien dans le jardin. La maison était du même style que le chien. Derrière la haie, une petite fille jouait. Enfant, il l'embrassait en rêve jusqu'à ce que la bouche lui fasse mal. Mais aujourd'hui la maison était en ruine et sa vue le rendait triste.

D'une manière générale, tout était raté.

Corbera le réveilla au lever du jour. Les Parrikens avaient volé un bélier. Ils devaient repartir.

— Quand vous voudrez, annonça-t-il. Les hommes sont là.

Larch lui demanda son pantalon.

— Quelle heure est-il ?

— Quatre heures.

Corbera était chaudement vêtu. Larch sentit le froid intense dès qu'il sortit du lit. De la cuisine venaient les cris d'un bébé. Corbera fit la grimace.

— Et en plus, elle a un enfant…

— Ce n'est pas un problème. Je dors très bien quand même.

— Vous devez en changer.

— D'accord. Qu'est-ce qui s'est passé ?

— Ils ont pris Tiberio. Ils ont aussi commis un vol dans la vieille bergerie.

— Ce sont donc deux groupes distincts.

— Je crois qu'ils vont à la Vallée Brûlée.

— Qu'est-ce que Crosbie a dit ?

— Il était furieux. Mais il sait que vous les attraperez.

Larch ne releva pas son ton ironique. Il passa dans le cabinet de toilette. A son retour, Corbera l'attendait dans la salle à manger. En le voyant, Larch appela :

— Madame !

Luciana sourit, dans l'encadrement de la porte.

— Oui, monsieur Larch. Je vous sers tout de suite.

Mais un long moment s'écoula avant que n'arrive le petit déjeuner. Corbera semblait inquiet.

— Je crois qu'ils ont un Mauser, expliqua-t-il.

Larch fit signe qu'il avait compris. Dehors, ses hommes attendaient. Dans la cuisine, Luciana chantait une berceuse. Le vent grondait dans les tôles.

— Il faudra clouer ce toit.

Les horribles ouragans de décembre. Ce climat était infâme. Le capitaine Cook avait passé un été dans l'île et ses hommes avaient gelé.

Larch dit au revoir à Luciana.

— Ne m'attendez pas avant samedi.

— Bien, monsieur Larch.

— Vous ne voulez pas allez voir votre mère ?

— Si vous n'avez pas besoin de moi… Elle ne connaît pas encore le bébé ! s'exclama-t-elle en riant.

Ils sortirent peu après. Quelqu'un lui amena un cheval. Du seuil, Luciana le regardait, en serrant bien son enfant. Il s'était endormi, mais Luciana continua de chantonner, contente d'aller chez sa mère.

> *María lavaba*
> *San José tendía*
> *Y el niño lloraba*
> *Del frío que hacía**.

Et cela, jusqu'à ce que les cavaliers disparaissent.

Maintenant, il pleuvait dans la vallée voisine. Au cours de la matinée, la pluie s'était aussi abattue sur eux. Ils avaient attendu sous les arbres, jusqu'à ce que les feuilles cèdent sous le poids. Puis était venu le froid. Il était difficile de continuer d'avancer à cheval et ils s'étaient vite arrêtés. Larch était resté en selle tandis que ses hommes cherchaient du bois sec sous les arbres tombés. Ensuite il était descendu péniblement et s'était déshabillé devant le feu. Tous étaient nus, fumant debout et en silence. Chacun surveillait ses vêtements étendus sur les branches, mais Corbera s'occupait également de ceux de Larch. Puis ils avaient remis leurs maillots tièdes et humides pour qu'ils finissent de sécher sur eux. Cela fait, ils avaient mangé des steaks de jument avec un pot de thé.

C'était trois heures plus tôt. Maintenant ils étaient de nouveau à cheval et regardaient la pluie sur la vallée. D'en haut, on apercevait l'océan. A l'horizon, sur le Pays des Pluies Perpétuelles, flottait un archipel de nuages. Dans les jumelles, certains îlots ressemblaient à des

---

* Marie lavait / Saint Joseph étendait le linge / Et l'enfant pleurait / A cause du froid qu'il faisait. *(N.d.T.)*

baleines. Au nord se trouvait le détroit de la Grande Neige et au sud-est il y avait un autre canal paisible.

A son arrivée devant l'île, le paquebot avait jeté l'ancre à l'entrée, pour attendre la marée. Ce matin-là, Larch était sorti sur le pont. Ils étaient devant une côte couverte de cormorans qui somnolaient sur les corniches. Accroupis dans leurs canoës immobiles, les Canaliens pêchaient sous la pluie. Les femmes surveillaient le bateau tout en chuchotant joyeusement. Appuyé au bastingage, le capitaine Günther Clauss roulait des pensées satisfaites. A chaque voyage, au cours des dernières années, il avait mouillé juste devant cette pointe. Cet endroit était fréquenté jadis par les vaches marines : Günther Clauss ne perdait pas l'espoir d'en voir une. En revanche les Canoeros ne manquaient jamais au rendez-vous, et le capitaine était content de les retrouver.

Il prenait plaisir à les regarder pêcher et l'arrivée de Larch le dérangea. Il était sûr qu'un Anglais pouvait passer toute sa vie là sans s'apercevoir que les Canoeros pêchaient avec une ligne nue. Quand un poisson mordait à l'appât sans hameçon, ils le tiraient délicatement jusqu'à ce qu'il parvienne à portée de leurs mains. Pour Günther le seul pêcheur comparable aux Canaliens était son oncle. Un jour, il avait dû lui porter son dîner jusque dans le torrent. Son oncle avait eu une touche le matin et il avait passé toute la journée le crin dans la main. Le premier faux mouvement lui aurait coûté son saumon, si bien qu'on lui avait envoyé son dîner et une lampe à pétrole. Longtemps Günther avait pensé que son oncle était unique, mais il savait maintenant que les Canoeros étaient encore plus forts et que leurs femmes dépassaient tout le monde. Au début du voyage, quand il supportait encore l'Anglais, il lui avait raconté l'anecdote. Mais son antipathie croissante ne lui permettait plus de s'attarder avec lui, de sorte qu'ils abandonnèrent rapidement la dunette en émettant tout juste quelques grognements avant de se séparer. Maintenant, tandis qu'il se dirigeait vers la vallée, Larch se souvenait de sa rencontre avec Günther et des petits cris d'amour que les femmes lançaient aux poissons en pêchant sous la pluie.

Ils descendirent le versant de la montagne. Son cheval avançait d'un pas sûr. On lui avait dit de lâcher les rênes et de le laisser tranquille, mais Larch prétendait l'aider. Pourtant le cheval était infaillible. Régulièrement, Corbera attendait Larch pour le prévenir d'un passage difficile. Puis ils reprenaient leurs distances et Larch devait le rattraper. Une fois dans la plaine, ils marchèrent en direction d'une gorge. C'était là qu'ils devaient tendre leur embuscade. Larch ne se faisait pas d'illusions, car ils n'arrivaient jamais à temps. De sorte qu'ils devaient continuer, résignés à revenir avec quelques moutons ou le cadavre d'un quelconque Parriken.

Corbera pensait aux trois mois perdus depuis l'arrivée de Larch. "Ce n'était pas un Anglais qu'il fallait pour ce travail", se disait-il. Il avait beaucoup ruminé cette idée et il décida d'en parler à Crosbie. C'était le bon moment, car tout indiquait qu'ils reviendraient encore une fois les mains vides. Il devait y avoir une autre façon de résoudre le problème.

Cette nuit-là il y eut un halo autour de la lune puis elle se couvrit complètement. Habitué à un ciel qui n'était jamais tout à fait dégagé ni complètement nuageux, Larch contemplait le firmament. Les grenouilles ne chantaient plus. La neige n'allait probablement pas tarder.

Ils étaient dans la gorge. Des Parrikens, pas de nouvelles. Après avoir mangé des steaks grillés, ils s'apprêtaient à passer la nuit. Mais Larch avait de nouveau faim. C'était l'éternel problème avec la viande de guanaco.

Le mors de la jument cliquetait dans l'obscurité. Corbera gardait sa jument à la diète et lui avait laissé son harnais. La jument aimait jouer avec les anneaux du mors, mais pour l'heure elle se débattait pour le sortir de sa bouche, pendant que les autres chevaux broutaient. Ils étaient tous entravés et, quand l'un d'eux se déplaçait d'un bond, le sol tremblait sous Larch. Puis les chevaux se calmèrent, le silence s'installa et le froid cessa tout à fait.

Jusqu'à ce qu'on l'entende de nouveau. Mais ce n'était plus le même cliquètement. Cela ressemblait plutôt au bruit fait par quelqu'un qui voulait emmener la jument. Inquiet, il appela Corbera. Celui-ci lui répondit en somnolant : c'était la jument qui voulait se débarrasser de son mors. L'Anglais détestait les réponses légères. Il sentit qu'il se passait quelque chose. Pendant une tempête nocturne, en traversant l'Atlantique, la sirène du bateau avait hurlé toute la nuit. Rien apparemment ne justifiait semblable concert, de sorte qu'il avait passé la nuit sans dormir. Il était dans le fumoir du bateau de Günther Clauss. Le salon avait des parois en stuc rugueux, de grosses poutres apparentes et de hautes fenêtres qui donnaient sur une galerie avec des balcons en fer forgé. Le tout prétendait simuler une vieille maison de colons d'Afrique, mais l'effet était complètement raté. Près de Larch un passager hollandais était plongé dans son livre. Quand la sirène était devenue insoutenable, Larch lui avait demandé s'il l'entendait. Le Hollandais avait levé un instant les yeux : "C'est une précaution à cause du brouillard." Le lendemain, il avait croisé Günther et lui avait demandé ce qui s'était passé. "Il s'est passé que la sirène se déclenche toute seule dès que la gîte atteint quarante-cinq degrés, avait répondu le capitaine. Mais n'en dites rien." Lorsqu'il avait rencontré de nouveau le Hollandais, il avait eu envie de lui expliquer : "Imbécile, ce n'était pas le brouillard. Nous étions sur le point de nous retourner."

Il pensa aux alertes dont il recevait constamment les avis. Il ne parvenait pas à pacifier les Parrikens. La nuit, les clôtures devenaient incontrôlables. Les Parrikens étaient passés maîtres dans l'art de s'infiltrer et pouvaient rassembler les moutons plus vite que quiconque. De plus, il se demandait si Corbera lui communiquait les avis à temps.

Quand les hommes de Quatermaster découvraient un vol, ils avertissaient Río Agrio par un feu de bois vert. La chasse commençait alors, et elle les conduisait invariablement à la gorge. Mais ils arrivaient toujours trop tard pour l'embuscade. S'ils étaient en danger d'être rejoints, les Parrikens mettaient le feu au terrain. En dernier recours, ils tuaient les moutons. Ceux-ci ne pouvaient pas courir aussi vite que les Parrikens et beaucoup restaient en route. Les Parrikens n'abandonnaient jamais un mouton en bon état. Plus précisément, ils leur coupaient les tendons afin de pouvoir les retrouver au même endroit à leur retour. Les moutons se traînaient pour brouter et pouvaient survivre plusieurs jours. Cela augmentait la fureur de Crosbie. Larch avait très vite découvert que ces poursuites ne servaient à rien. Il avait décidé qu'il devait changer de stratégie, convaincu que la clef se trouvait dans la baie. Là-dessus, Crosbie lui avait dit : "Attendez plutôt décembre, quand ces salauds vont à la chasse."

Au loin éclata un incendie. C'étaient deux arbres, qui frottés l'un contre l'autre par le vent, s'étaient embrasés. L'Anglais regarda la boule de feu jusqu'au moment où les flammes diminuèrent et où tombèrent les premiers flocons de neige.

Il rêva qu'ils marchaient sur la plaine devant un troupeau de moutons. Corbera était pieds nus et avait perdu ses ongles en courant derrière sa jument. De temps en temps, les bêtes cherchaient à brouter sous la neige. Une brebis s'échappait du groupe et entrait dans le bois. Corbera la poursuivait à travers les branchages et retrouvait rapidement la brebis gelée. Elle avait les yeux obturés par le givre et la bouche pleine de glace, et elle urinait un flot de sang. Larch se réveilla, troublé. La nuit semblait sur sa fin, mais tout restait obscur et très calme, et le sol était vierge de neige. Au loin, les arbres brûlaient encore. En réalité, il avait à peine fermé les yeux.

IX

LE TERRIER

Lucca

Tatesh proposa de cacher les enfants. Un silence incrédule accueillit ses paroles. Tous pensaient la même chose : quand ils disputaient ces prairies aux Parrikens du Sud-Ouest, ils avaient coutume de dissimuler les petits avant chaque bataille. C'était une suggestion de mauvais augure, et elle fut fort mal reçue.

Mais, l'après-midi passant, il finit par les convaincre. Ces champs vides annonçaient quelque chose. Il n'y avait pas de cavaliers le long des clôtures et le chemin vers la côte semblait trop tranquille. Mieux valait continuer sans les petits. Tatesh proposa de s'occuper d'eux, car il connaissait bien les siens. Ils pouvaient bien promettre tout ce qu'il voulait, mais ils pouvaient aussi inventer n'importe quelle excuse pour garder leurs enfants.

Près d'un ruisseau, il y avait un ravin. C'était l'endroit parfait pour les cacher. Le groupe avait grossi et ils avaient maintenant quarante enfants. Le ravin pouvait être recouvert d'herbe et l'on pouvait aussi ménager un étroit goulet pour le passage d'un enfant. Tatesh s'exprima avec véhémence, mais personne ne semblait prêt à s'exécuter. Ils formulèrent mille objections pour le critiquer. Seul Kamen resta de son côté. Puis, au fil de la discussion, la situation évolua.

Camilena fut la dernière à se rendre. Cette nuit-là, son sommeil fut agité. Elle rêva que ce terrier s'effondrait sur ses enfants. D'abord venait un bruit sourd, comme le galop des guanacos sur la tourbe en hiver. Puis un torrent de boue liquide passait à travers les branchages et recouvrait le visage de Lucca. Ensuite, tout s'écroulait. A ce moment, elle se réveilla en criant.

A la lumière du feu, des hommes se coupaient les cheveux. La cérémonie annonçait une bataille. Cela lui fit aussi mal que le rêve et elle voulut ne jamais avoir quitté Abingdon.

Tatesh, qui taillait sa frange avec un coquillage, ne daignait même pas la regarder. Il avait beau paraître très grand, son aspect dégoûta Camilena. Sans cheveux sur les épaules, il ressemblait à ceux qui l'avaient violée sur la plage.

Elle finit par leur tourner le dos. Elle pensait à sa propre chevelure. Un jour, elle s'était fait des bandeaux, comme la veuve. Celle-ci avait des yeux durs et des cheveux dorés. A l'époque, elle débordait d'admiration pour la veuve. Le révérend lui faisait peur, mais cette peur avait disparu à la première nuit qu'ils avaient passée ensemble. Après avoir fait l'amour, Dobson s'était endormi près d'elle. Camilena en avait profité pour l'étudier à son aise. Elle avait contemplé les favoris roux, les mâchoires imposantes, le ventre velu, le membre repu, les mollets couverts de taches de rousseur. Après s'être tournée et retournée, elle s'était risquée à poser l'oreille sur sa poitrine. Le pasteur respirait comme n'importe quel Canoero. Cette révélation la rassura, mais elle en éprouva aussi une grande déception.

Camilena dormait quand ils emmenèrent les enfants. Mais elle se réveilla convaincue qu'elle ne les avait déjà plus avec elle. Un instant, elle voulut se lancer sur leur trace. La nuit filtrait à travers les branches du kauwi. Le feu pâlissait et un vautour marin croassait. Depuis la veille, les mauvais présages s'accumulaient. Un chien avait eu des gargouillis dans le ventre et des oiseaux minuscules s'étaient perchés sur l'arbre mort.

Mais c'était mieux qu'ils les aient emmenés pendant son sommeil. Depuis l'agression des chasseurs de phoques, elle pensait qu'elle ne pourrait plus jamais les laisser seuls. Elle contempla le kauwi vide. Jusqu'au dernier moment, ses enfants avaient cru qu'ils allaient à Lackawana. Le plus déçu devait être Jaro. Après avoir entendu la mauvaise nouvelle, il avait demandé une fois de plus à son père de lui décrire l'îlot. Pendant que Tatesh contentait son fils, Camilena rêvait éveillée. Elle avait imaginé qu'ils étaient enfin arrivés au promontoire des phoques. Un mâle se peignait le poil avec ses pattes, après quoi il embrassait une femelle sur la bouche. Une autre femelle se dirigeait vers la mer avec son petit dans la gueule. Puis Tatesh arrivait et lui tirait une balle dans la tête. Elle s'effondrait sur les rochers et, tout de suite, Camilena s'allongeait contre elle, cherchait ses mamelles et suçait le lait crémeux. Les mamelles étaient petites, comme il convenait à une mère parfaite. Après Camilena, les enfants tétaient à leur tour. Lucca était le plus vorace. Une fois repu, il se relevait en riant aux éclats, le museau tout blanc.

Camilena découvrit la poupée d'Isabela par terre et un gémissement monta de sa poitrine. La veuve avait l'habitude de leur lire un livre qu'avait écrit saint Paul. La tristesse, disait le livre, pouvait être parfois si intense qu'on en mourait de douleur. Camilena se demanda si la mort de ses enfants serait capable de la tuer. Elle essaya de chasser cette idée et pensa à tous les gens qu'elle avait vus mourir. C'étaient là des méditations difficiles, car il était impossible d'oublier complètement un défunt, même si l'on ne prononçait pas son nom, si l'on brûlait ses affaires et si l'on tuait ses chiens.

Mais il ne fallait pas non plus provoquer la mort en s'obstinant à y penser.

L'enfant mort sur la plage avait promis de se souvenir d'eux tous, une fois au ciel. C'était ce que leur avait annoncé la veuve, qui apportait toujours des messages des malades et des agonisants.

Mais elle ne leur avait jamais montré saint Paul, pas plus qu'elle ne leur avait donné le papier pour traverser l'île.

Camilena pensait à tout cela, maintenant qu'elle était réveillée. Mais qu'est-ce que ça changeait ?

Où étaient ses enfants ?

Ils marchaient dans le bois mouillé. La lune s'était couchée et le sol spongieux aspirait leurs pas. Ils suivaient Tatesh silencieusement en bâillant. Ils traversèrent une clairière et virent deux étoiles au-dessus d'eux, ce qui signifiait que le vent était au sud. Ils entendirent la chute lointaine d'un arbre. Tatesh s'arrêta pour les compter. Il découvrit qu'il en manquait un et retourna sur ses pas. Ils restèrent seuls un moment, serrés les uns contre les autres dans le noir. Tatesh revint avec le retardataire et, quand ils se remirent en route, personne n'avait plus sommeil. Ils marchèrent en direction de l'océan jusqu'à ce que Tatesh fasse halte. Le temps s'était couvert. Ils essayèrent de deviner où ils étaient, pendant que Tatesh inspectait le terrain. Puis il les rejoignit et leur montra un petit couloir. Mais personne n'osa faire un pas. Tatesh décida de donner l'exemple et se glissa dans la fente pour réapparaître au bout de quelques instants. Après quoi il les aida à entrer dans l'ouverture obscure et, quand il eut vérifié qu'il n'en manquait aucun, il scella le trou avec un tampon d'herbe. A l'intérieur, ils restaient immobiles en épiant les signes de sa présence, terrifiés à l'idée qu'il les avait déjà abandonnés. Mais, très vite, survenait un grincement de branchages et quelques mottes de terre tombaient, pendant que Tatesh aplanissait le toit de feuilles. Jusqu'au moment où un grand silence se fit. Lucca entendit éternuer dans son cou et se cramponna à Isabela. Quelqu'un lui prit la main. Ils se connaissaient à peine entre eux, car leurs parents ne se réunissaient que pour la guerre ou quand un cachalot s'échouait sur la plage. Ils restaient aux aguets du monde extérieur. Ils entendirent le hululement d'une chouette et le bruit de l'eau tombant des arbres au passage du vent. Ils finirent par comprendre qu'ils étaient désormais seuls.

L'endroit était froid comme l'enfer. Ils se demandèrent si les ténèbres persisteraient après la nuit. Livrés à leurs terreurs, nul ne disait mot. Certains pensaient à l'obscurité insondable et aux dangers du dehors, et les autres avaient peur d'être oubliés ou de s'endormir, craignant qu'une main furtive ne découvre soudain leur refuge.

"Je veux de l'eau", dit Pupap. Ce furent les premiers mots qu'ils entendirent. Isabela le fit taire, car ils devaient garder le silence. Un enfant urinait avec force. Jaro s'aperçut que l'obscurité diminuait. Il conduisit Pupap jusqu'à l'eau, accompagné de plusieurs ombres assoiffées. Les outres étaient accrochées au fond de la cavité.

Isabela s'installa sur le sol, bien protégée par son quillango. Elle essayait d'oublier où elle était. Un jour, en jouant dans la tourbe, elle s'était laissée enfoncer jusqu'au cou et ses frères avaient eu du mal à l'en sortir : depuis, elle détestait les trous.

Le froid de la terre passait à travers le quillango. Elle ne sut que faire pour s'en défendre. Avec son père, c'était différent. Lorsqu'ils campaient dans un endroit trempé, Tatesh creusait la terre, mettait le foyer au fond et le sol se réchauffait très vite. C'était agréable, alors, de rester devant en regardant sa mère polir un harpon avec une peau de phoque.

Ses pieds étaient glacés. Elle remua lentement les orteils et enleva ses tamangos. C'étaient des mocassins de cuir avec le poil à l'extérieur, ils étaient souples et confortables, mais l'humidité les détendait et ils devenaient trop grands. Le chien aimait jouer avec et il s'amusait à les chercher. Camilena était habile à confectionner ces tamangos. Elle avait aussi cousu la balle de Lucca avec une peau de mouette bourrée de mousse.

Isabela serrait un bouton dans ses doigts. Elle l'avait trouvé dans la poche d'une vieille veste. Au fond de cette poche, il y avait aussi un caramel écrasé et elle le caressait souvent. Aujourd'hui qu'il ne lui restait que le bouton, elle regrettait la poche de sa veste et ne savait où mettre la main.

Le minuscule rai du petit jour se concentrait sur la tête de Jaro, mais celui-ci ne parvenait pas à voir au-dehors. D'après certains indices, ils se trouvaient près de la mer. Jaro avait l'oreille fine et la vue perçante. Il savait tirer des conclusions des mouettes qui criaient ou de deux cygnes qui se croisaient sans plonger. Il ne pouvait égaler Tatesh, capable de prédire une tempête à la seule vue d'une plume flottant à la surface d'une flaque. Mais il sentait la proximité de l'océan aussi bien que son père.

Il avait été sur le point de le supplier de le laisser sortir de ce trou. Mais, au moment où Tatesh se préparait à obturer le couloir, Jaro avait perçu l'éclat de ses yeux. Il avait deviné qu'il vérifiait chaque détail, avec la gravité des moments de danger. Puis il avait posé le tampon d'herbe et Jaro avait éprouvé la même terreur que lors d'une nuit d'ouragan, quand il avait entendu pour la première fois parler du Bélier sans Tête qui galopait dans le Bois Puant.

Il n'était jamais allé à la chasse aux phoques. Mais il avait assisté à la fin d'un chien de mer drossé à la côte par les tempêtes d'août. C'était un mâle au regard torve, couvert de poils durs. Il s'était maintenu à distance de ses crocs jusqu'à ce que Camilena arrive et lui enfonce une torche enflammée dans la gueule. Le mâle s'était roulé sur le sable en poussant des hurlements insoutenables et en répandant un flot de sang fumant. C'était la meilleure façon de tuer ces animaux obstinés, prêts à perdre la vie plutôt que d'abandonner le terrain. Camilena expliqua qu'un chien de mer avait jadis coupé la main de sa mère aussi facilement qu'une patte de pigeon. Elle avait souri férocement à ses enfants. Enfin, elle avait vengé sa pauvre maman.

Maintenant, beaucoup dormaient. En découvrant le filet de lumière, Lucca décida de s'en rapprocher. Pupap ronflait à côté de lui. Il s'était endormi très vite, malgré les efforts de Lucca pour l'en empêcher. Peu avant, ils avaient essayé d'échanger leurs noms. Pupap n'était pas convaincu que le nom de Lucca fasse le poids et voulait quelque chose en plus. Lucca lui avait proposé de lui donner la balle en peau de mouette, mais il n'était pas non plus très décidé. Ils avaient fini par se disputer. Chacun avait conservé son propre nom, de sorte qu'ils n'étaient pas devenus frères.

Lucca se glissa jusqu'à la lumière. Il était couché sur le dos, le visage collé au feuillage. Près de l'entrée, le refuge était très bas. Il poussa prudemment le tampon d'herbe jusqu'à ce qu'il puisse observer l'extérieur.

C'était une matinée affreuse. Il y avait un ruisseau tout près et quelques prunelliers brûlés. Le reste se perdait dans le brouillard. Barbucho s'approcha également de l'ouverture. Il échangea un regard avec Lucca. Le visage de celui-ci lui dit qu'ils seraient vite dehors.

Mais Lucca avait d'autres projets. Il voulait seulement faire un petit tour et pensa que Barbucho serait de trop. Il avait peur qu'il ne réveille les autres par ses aboiements. Il tenta de le dissuader en le caressant, mais il fut rapidement obligé de revenir et de lui donner un coup de pied sur le museau. Barbucho se coucha, résigné.

Isabela observait avec terreur les préparatifs de son frère. Elle bondit pour l'arrêter, mais il lui échappa des mains. Elle ne voulut pas franchir la sortie. Morte de peur et d'envie, elle le regarda disparaître de sa vue. Retenu par Isabela, Barbucho poussait des petits gémissements d'espoir, comme s'il comprenait qu'il s'agissait d'une vilaine plaisanterie et qu'on allait quand même l'emmener.

Isabela reboucha vite l'entrée. Puis elle regagna sa place et s'enveloppa dans son quillango. Ce qu'elle avait si souvent craint s'était finalement produit. Pour la première fois depuis trois ans, le petit n'était pas près d'elle. Elle se souvint que, par une nuit de lune, elle s'était elle-même perdue. Elle était d'abord allée sur la côte pour regarder la lueur de la torche sur l'eau pendant que Camilena pêchait. Puis, pour se réchauffer, elle s'était éloignée en marchant sur la plage. Elle allait vers la glace qui miroitait à l'horizon et sur laquelle patinaient les gens d'Abingdon. Au bout d'une demi-heure de marche, elle s'était arrêtée près de la mer gelée, en se cachant derrière les rochers noirs. Le veuve et ses invités glissaient sans crainte au clair de lune, les bras entrelacés et en se tenant par les mains. Isabela les avait observés jusqu'à ce que le sommeil la prenne et, à son réveil, les patineurs avaient disparu et le vent balayait la piste givrée. Elle était repartie en suivant la côte, sous la pluie. Elle avait compris qu'elle avait pris le chemin opposé et qu'elle s'était égarée. Elle s'était abritée sous un arbre en tremblant à la lueur des éclairs, jusqu'au moment où elle avait vu arriver sa mère.

Elle décida que Lucca ne dépasserait pas le bois de prunelliers et que Tatesh l'y trouverait. Mais la consolation fut de courte durée. Elle avait perdu son frère et elle ne le retrouverait jamais. Voilà ce qui s'était passé.

Elle rampa jusqu'à Jaro. Elle réussit à lui faire ouvrir les yeux après l'avoir secoué un bon moment. Tout en écoutant cette nouvelle impressionnante, Jaro la regardait en tremblant.

X

LACKAWANA

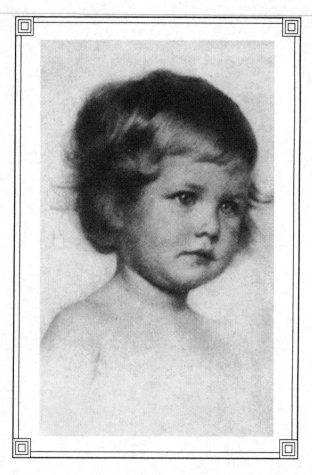

Thomas Jeremy Larch

Ils venaient de Quatermaster. Ils suivirent d'abord la côte puis entrèrent sur une piste fangeuse. C'était le groupe de Larch, car les hommes de Crosbie avaient pris une autre direction. Ils entendaient de temps en temps les aboiements des chiens de Cuba, mais les chevaux les sentaient constamment. Ceux-ci étaient très éprouvés par la boue. Ils transpiraient malgré le froid, enlisaient leurs pattes et ahanaient en les arrachant. Ils arrivèrent ensuite sur un terrain stable et Seymour prit la tête. Soudain il parut très inquiet des bruits qui sortaient du sol. Quelque chose d'inconcevable se passait. Dans leurs cavernes obscures, les coruros étaient en plein travail, ils couinaient et se livraient à des courses effrénées. Seymour pouvait entendre leur respiration agitée et leurs griffes qui grattaient la terre. Le chien devint fou de rage. Il sentit qu'il devait faire cesser ce scandale.

Pourtant, comme chasseur, il était loin d'être une merveille. La vue courte, l'odorat défaillant, malhonnête comme un épagneul, il semblait tout à fait capable de manger en cachette un gibier fraîchement abattu. Jusque-là il n'avait jamais perdu la tête pour une trace et ne se serait jamais éloigné de son maître pour si peu.

Mais, pour le moment, le remue-ménage souterrain l'avait bouleversé. Il ignorait ce qui s'était mis sur son chemin. C'était quelque chose d'aussi abominable, peut-être, que les rats sur les quais de Tilbury Dock ou les taupes dans les jardins de Codford St Peter. Il creusa avec frénésie, rendu fou de rage par la couche de terre qui lui barrait le passage. Mais les cavaliers s'éloignaient et il courut pour les rattraper. Très vite, tout signe des coruros disparut. De temps en temps, Seymour reniflait le sol. Il était rancunier et ne renonçait jamais à une vengeance. Tôt ou tard, il finirait bien par les attraper.

Quelques kilomètres à peine les séparaient encore de Lackawana. Corbera allait devant, suivi de Larch et de Beltrán Monasterio. Quatre hommes fermaient la marche. Personne ne s'occupait du chien. Ils pensaient seulement à la façon dont les choses se passeraient au cours des prochaines heures. Et pourtant, grâce à Seymour, tout allait commencer autrement qu'ils ne l'imaginaient.

Cependant, par la faute des coruros, Seymour passa sans le voir devant un vieux qui les insultait du haut de la colline. Le vieux ne semblait pas avoir peur d'eux et ils supposèrent qu'il était toqué. La cape du vieux flottait au vent. Plus loin ils virent un kauwi calfeutré avec des lambeaux de toile d'emballage, renforcé de deux plaques de zinc et d'une porte de cabine. Il y avait un baril à l'entrée et d'autres restes de naufrage. Monasterio prétendait l'inspecter. Ils parièrent que le vieux avait à coup sûr une photo de la reine Victoria dûment accrochée à un clou.

Mais ils continuèrent vers la plage. Les hommes de Quatermaster prenaient toujours cette route, car ils ne traversaient jamais le bois sans dommages. En une après-midi à peine, Corbera y avait perdu trois hommes. Ils étaient restés en arrière et un Parriken longs-cheveux les avait tués l'un après l'autre. Ces Longs-Cheveux pouvaient égorger un cheval en silence sans faire bouger un brin d'herbe. L'agent de la Lloyd's l'avait dit à Larch au *Roland* : il faudrait bien finir par faire appel à l'armée. Les Parrikens vivaient dans des lieux impénétrables et connaissaient les moindres creux. De sorte que la consigne était de marcher groupés en cherchant toujours la côte. Grâce à Dieu, pensait l'Anglais, ils sont aussi incapables d'obéir à un chef que de se servir d'un Mauser, sinon nous serions cuits.

Et pourtant, peu avant de toucher l'île, rien ne lui avait paru moins féroce que cette créature qui avait surgi sous ses yeux sur le bateau de Günther Clauss. C'était sa première rencontre avec eux. L'homme était assis sur le pont, sous ses peaux, entouré d'enfants et de chiens, avec l'insolence d'un mendiant de Liverpool. Une passagère lui avait offert un poudrier et l'homme avait souri avec dédain tout en évaluant le cadeau. Quelques secondes plus tard, le poudrier volait à la mer. Ses enfants n'arrêtaient pas de crier *give me give me* dès que quelqu'un passait à portée de voix.

Le même jour, pendant le déjeuner, un autre passager qui s'ennuyait avait proposé d'aller à terre. Un silence de mort avait suivi, tandis que le steward changeait les assiettes. Ils étaient à la table du second du navire. "Surtout ne faites pas ça, avait dit tout de suite Larch. Ce ne sont pas des indigènes amicaux et ils ne conduisent pas les naufragés aux missionnaires. Ils vous égorgeront dès que vous aurez mis le pied sur la plage." Le second lui avait donné raison en allumant son cigare. Il avait décidé de terroriser une vieille dame déjà affolée et s'était étendu sur l'époque où les Canoeros tuaient des équipages entiers, à l'exception d'un seul matelot qu'ils mettaient dans le bateau suivant pour qu'il aille le raconter partout. Cela changeait Larch des histoires de Günther et ils avaient passé un bon moment.

La salle à manger était presque vide. Dehors, on voyait une partie du pont et la côte déchiquetée. Un passager déguisé en marin était passé en courant devant la fenêtre. Régulièrement, il devait éviter une réplique exacte des bouches à incendie de Manhattan placées aux points stratégiques pour que les chiens des millionnaires puissent pisser sans nostalgie. Tout en calculant que chaque aller et retour sur le pont représentait trois cents mètres, Larch s'était diverti un moment à suivre un albatros qui survolait la plage avant de disparaître derrière ce bois trompeur plein de plantes pourries.

Il se souvenait de chaque minute de cette journée. C'était son premier contact avec l'île. Il était déçu par cet endroit qu'il avait cherché pour s'enrichir aussi vite et avec autant de discrétion qu'un Chinois et qu'il trouvait soudain ténébreux, sinistre et incapable de retenir un gentleman normalement constitué.

Ils firent halte au bord de l'eau. Corbera sortit plusieurs pâtés de porc et des colliers de palourdes fumées. Ils mastiquaient lentement, sans quitter le feu des yeux. Puis ils burent du café. Larch prenait presque autant de plaisir que ses hommes à ces haltes. Ils lui préparaient parfois une surprise, comme ces coruros rôtis dont ils étaient tous fous. Les meilleurs coruros étaient ceux que l'on cuisait sur les braises. Après avoir brûlé beaucoup de bois dans un trou, Corbera les laissait dans la cendre, bien vidés et bien assaisonnés, mais avec toute leur peau. Le lendemain matin, il raclait la peau carbonisée. Ce n'était pas un plat de luxe, mais ils le préféraient au poulet. Larch se léchait les doigts et savourait les cuisses délicates comme si c'était un pâté de cailles de Codford.

Un homme portait au cou un médaillon de George III. Tout le monde connaissait son histoire. Il provenait du cadavre d'un Parriken qui le tenait lui-même de l'uniforme d'un amiral noyé. L'homme portait également un quillango cousu avec amour. Il avait d'étranges habitudes. En général, il se volatilisait après chaque expédition. On disait qu'il allait fouiller les cadavres des Parrikens et qu'il ne revenait jamais les mains vides.

Il s'appelait Beltrán Monasterio. On ne savait pas grand-chose à son sujet, mais des rumeurs couraient. D'après Corbera, il était marié à une Parriken. Il était le cuisinier du groupe, mais Beltrán ne supportait pas les obligations de cet emploi. Ces jours-là, il menaçait de nouveau de partir et Corbera tentait de l'en dissuader. Peut-être voulait-il un autre poste ? "J'aimerais dresser les chiens de berger, avait suggéré Monasterio. Corbera avait hoché la tête : "Les chiens n'ont pas besoin de dresseurs. Ils s'arrangent entre eux, ils copient les plus vieux. – J'en ai marre de la cuisine, avait protesté Monasterio. Ici, le premier crétin venu prétend qu'il a l'estomac délicat." Il avait demandé s'il pouvait amener sa femme à Quatermaster et Corbera lui avait rappelé que c'était interdit. Puis il avait demandé à Monasterio d'attendre jusqu'à l'hiver.

Maintenant celui-ci fumait en silence, tout en essayant de déchiffrer les aboiements de Seymour. Le chien s'agitait au loin, et sa voix semblait indiquer qu'il avait trouvé quelque chose d'intéressant. Monasterio empestait le suint. Il avait le nez tordu, la peau sombre et des yeux bleus qui juraient avec le reste.

Il finit par se lever pour voir de quoi il s'agissait. Il monta rapidement à cheval et s'éloigna au galop. Il passa près de la montagne de coquilles qui entouraient le kauwi du vieux. Parmi elles, il y avait un crâne de phoque, beaucoup d'os noircis et même le manomètre d'un bateau échoué. L'ensemble formait une masse compacte, mêlée à des fragments de flèches taillées par le vieux et dont il ne se servait que pour les vendre sur les paquebots.

Ses ancêtres avaient vécu là pendant des siècles et le site ne restait désert que quand les moules venaient à manquer. Aujourd'hui la côte avait changé et l'herbe arrivait jusqu'au kauwi. Ce vieux était une célébrité en Europe, à tel point que ses mensurations figuraient dans la revue *Anthropos*.

Corbera partit derrière Beltrán Monasterio. Très vite ses hommes le suivirent en direction des aboiements. Larch décida de rester. La brume était tombée et la mer s'effaçait.

A ce moment précis, Lucca errait entre les prunelliers noircis. C'était un bois incendié qui sentait

encore le charbon. Il y avait des squelettes de
lauriers brûlés et des troncs durs qui donnaient
déjà des rejetons. De temps à autre Lucca surveillait le terrier, sans désespérer d'en voir sortir sa sœur. Mais Isabela ne se montra pas.

Si bien qu'il décida de vaquer à ses affaires.
Il fit un kauwi avec des brindilles et construisit
aussi un canoë. Celui-ci naviguait entre les flocons de brume qui montaient du sol. Il avait le
foyer au centre comme le canoë de Camilena.
Ils le portaient d'abord tous ensemble sur une
plage de galets. Puis ils le mettaient à l'eau.

Ils partaient par calme plat. Le canoë fendait
la mer en silence. La lune brillait sur l'eau. En
route, ils voyaient un phoque endormi. Camilena peut passer près d'un phoque sans que
celui-ci sourcille. Le sommeil d'un phoque
dans l'eau est un profond mystère. Peut-être ne
dort-il que par intermittence. Il faut beaucoup
de prudence pour ne pas se faire attaquer. Le
phoque peut entrouvrir un œil larmoyant, et
tous restaient en alerte.

Son père mettait la main dans la mer. Au dos,
il avait une blessure de poisson carnassier.
C'était une plaie assez vilaine. Isabela ne le
quittait pas des yeux, pendant que Jaro s'endor-
mait. Ils naviguaient toute la nuit sans incident.
Au lever du soleil, ils entendaient le bruit des
ailes d'un flamant écarlate. Puis ils voyaient un
tourbillon, comme une spirale dans l'eau. Ça ne
semblait pas bien dangereux, mais Camilena le
montrait avec crainte. Elle s'éloignait de toutes
ses forces, tandis que Lucca poussait un soupir.

Ce soir-là, ils débarquaient sur un îlot désert.
Ils faisaient du feu à l'abri du vent et cueillaient
plusieurs paniers de moules, mais sa mère décidait de les jeter.

Elles étaient acides et pleines de cailloux. Son père avait mangé une fois de ces moules et tous avaient pensé qu'il allait mourir. Il avait déliré pendant la nuit. Il s'était réveillé couvert de sueur, en se tenant le ventre. "C'est comme si un rat me mordait", avait-il dit, des larmes plein les yeux.

Ils ne mangeaient donc que les moules qu'ils avaient emportées avec eux. Tatesh distribuait des petits morceaux de graisse dans chaque coque, ils les faisaient fondre sur les braises et les suçaient avec beaucoup d'application. Cette année, la nourriture était abondante. A d'autres époques, le chiens étaient maigres et mendiaient, et vus de loin ils paraissaient très dangereux, particulièrement quand ils fouillaient dans les ordures du campement.

Finalement, les grondements de Seymour le réveillèrent. Lucca leva la tête et aperçut un gros chien noir devant le terrier. A ses pieds, dans une mare de sang, gisait Barbucho. La lutte avait été brève, mais le vainqueur ne paraissait pas décidé à se retirer. Quelque chose de détestable émanait de l'intérieur. Lucca terrorisé découvrit que le chien se préparait à bondir dans le couloir.

Sur ces entrefaites, arriva un homme à cheval. Il descendit rapidement et se posta à l'entrée du trou. Puis il lança une pierre et s'allongea pour scruter l'obscurité. Ensuite il marcha sur le toit de branches, tandis qu'arrivaient d'autres cavaliers. Quelqu'un retenait le chien noir. Lucca pensa qu'il devait s'enfuir tout de suite, mais le temps empirait, ce qui augmenta sa frayeur, et il fut incapable de bouger. Soudain le chien fit un bond et atterrit dans le terrier. Les chevaux sautèrent en plein dedans et le jour se transforma en enfer. Il y eut des hennissements et des coups de feu. Les aboiements du chien résonnaient, eux aussi, comme des détonations. Etranglé par la peur, Lucca se mit à crier.

Etaient-ce des coups de feu ? Etouffés et irréels, ils parvinrent aux oreilles de Larch juste au moment où il se remémorait une après-midi passée devant cette côte sur un bateau chargé de moutons, en compagnie de Modestino Lucero et de John Abbot Titcombs, éleveurs de Río Agrio. A eux deux, ils possédaient deux millions d'hectares. Ils attendaient la marée. Ils avaient également avec eux le vendeur de la Cooper & Co. Le brouillard arrivait et la côte était presque invisible.

— La terre de l'horreur… avait murmuré l'homme de la Cooper.

— La seule au monde que l'Angleterre ne revendique pas, avait plaisanté John Abbot Titcombs.

Modestino nettoyait ses lunettes. L'homme de la Cooper avait sorti son mouchoir. La puanteur était insoutenable. La cale était bondée et les moutons en surnombre avaient été casés sur le pont. Ils avaient tous trois pattes attachées. Beaucoup étaient galeux et se grattaient avec la patte libre. Quand les démangeaisons étaient trop fortes ils se mordaient, de sorte qu'ils étaient couverts de bave verte et de plaies. Un bélier avait réussi à se relever et se grattait contre le bastingage, mêlant souffrance et délectation. De sa peau tondue et pleine de cicatrices suintait un liquide blanc.

217

John Abbot Titcombs semblait de mauvaise humeur. Il était devenu un éleveur puissant sans pratiquement s'en rendre compte. Outre des ballots de laine, il expédiait en Angleterre des poulets congelés et des barils de graisse. Son chemin de fer Decauville arrivait jusqu'au môle. Mais il projetait de s'intéresser aux baleines et de rendre visite à son frère, gros propriétaire en Nouvelle-Zélande.

— Il y a des jours où je ne les supporte pas, avait-il murmuré.

— Ils ne sont pas faits pour ça, avait dit Larch.

— Et pour quoi sont-ils faits, alors ?

— Je ne sais pas. Mais vous, vous devriez le savoir.

— John a les meilleurs moutons de toute l'île, avait précisé Modestino.

— Je vous souhaite que ça dure, avait dit Larch en regardant une brebis excitée, collée au cabestan, qui tendait le cou de côté pour se frotter le dos avec sa mâchoire.

— Mon père élevait des chevaux, avait soupiré John Abbot Titcombs.

Un groupe de béliers tondus le contemplaient d'un air ahuri. Enfermés dans un enclos provisoire, le front peint de marques bleues et vertes, on eût dit un trio de mauvais garçons. L'homme de la Cooper se demandait ce que cachaient ces marques. Il ne connaissait rien aux moutons et en avait profité pour questionner :

— Ils sont aussi stupides qu'on le dit ?

— Un bélier emballé est capable d'entraîner cinq cents brebis dans la mer.

— Mais les pauvres sont obligés de deviner quand ils peuvent les monter, avait assuré Modestino.

— Oui. Elles sont plutôt inexpressives.

— Leur vulve gonfle, non ?

— Celle de ma femme aussi, et alors ? avait déclaré Modestino.

— Je vois que vous n'êtes pas depuis longtemps dans ce business, avait dit Larch à l'homme de la Cooper.

— Un mois, avait avoué celui-ci. C'était un ancien vendeur de bibles de Sandy Point.

Cela faisait quinze heures que les moutons étaient à bord. Modestino venait de les acheter. Ils attendaient d'être descendus dans un chaland qui les débarquerait sur la plage. Ils étaient tassés les uns contre les autres et un Parriken de Modestino se démenait pour mettre un peu d'ordre. Il essayait de se tenir loin de John Abbot Titcombs. Le bruit courait chez les siens que John avait l'intention de les convertir en graisse.

Ils avaient mangé des côtelettes arrosées de thé et le commis voyageur de la Cooper s'était allongé pour dormir sur le pont. C'était un Irlandais désabusé. Il avait profité du retour du soleil pour retrousser son pantalon et exhibait des jambes laiteuses aux poils plantés à la diable. Il avait vite sombré dans un sommeil agité. Après avoir porté la parole de Dieu dans les pires régions du monde, il se retrouvait à vendre des remèdes pour ces bêtes répugnantes.

Son corps avait mis du temps à se détendre. Ses muscles étaient ceux d'un être épuisé, habitué aux rebuffades continuelles ; les chairs mortifiées d'un décatholiciseur en Amérique, d'un agent protestant, d'un provocateur anglais. Il avait commencé à ronfler et ses paupières laissaient entrevoir le blanc de l'œil. Le péon de Modestino osait à peine le regarder. Il étudiait les tibias variqueux, le nez couperosé, les dents immenses et la crête de dindon. Il n'avait jamais vu d'individu plus repoussant.

Abbot Titcombs était encore en Europe. Larch aurait bien aimé avoir quelques nouvelles de lui. John était un homme agréable, aussi doué pour peindre une aquarelle que pour jouer une bonne partie de tennis ou découvrir des œufs de canard qui n'aient pas le goût de poisson. Un parfait gentleman, si l'on pouvait dire. Il aurait été très utile dans les heures à venir.

Voilà ce que pensait l'Anglais au moment où les tirs s'étaient fait entendre. Il se leva prestement du sol mouillé, heureux encore qu'il n'y ait ni insectes ni épines.

Justement, Corbera revenait. Il portait Seymour en travers de sa selle. Larch alarmé alla à sa rencontre.

— Nous avons trouvé le terrier, dit Corbera. Le pauvre, ils ont bien failli le tuer.

Ils le déposèrent avec précaution sur le sol. Le chien ne se plaignait pas.

— Qu'est-ce qu'il a ? murmura Larch.

— Juste quelques os de cassés. Nous avons dû en tuer plusieurs.

Tout en écoutant les détails, Larch décida qu'il mentait. Corbera détestait son chien. Selon le contremaître, les occupants du terrier lui avaient brisé les reins d'un coup de bâton. Mais Larch se méfiait de Corbera et de son cheval.

Il était furieux et se contenta de rester à genoux en passant les mains sur son chien. Corbera ne bougeait pas. Il réclamait des directives concernant les survivants du terrier. "Il continue à mentir", pensait Larch, convaincu qu'il les avait déjà tués. Comme d'habitude, Corbera sollicitait des instructions après avoir agi à sa guise. Son contremaître adorait l'obliger à décider tout le temps, en l'acculant à ses contradictions. Mais il ne discutait jamais. Face à un ordre absurde, il se contentait de dire : "Comme vous voudrez…"

Larch parcourut lentement le poil court et dru du chien. N'y avait-il seulement que des os brisés sous cette épaisseur ? Seymour souffrait en silence.

— Tuez-les, dit-il rageusement.

Puis survint Beltrán Monasterio. Il ramenait Lucca. Un homme le suivait à pied.

— Qu'est-ce qui s'est passé ? interrogea Larch.

— Mon cheval est tombé. J'ai dû lui tirer une balle dans la tête.

— C'était un terrier énorme, dit Beltrán Monasterio.

— Vingt mètres de long, à vue de nez.

— Et celui-là ?

— Il était dehors, mort de trouille. Je l'ai ramassé pour vous.

— Il en reste d'autres ?

— Non, monsieur. Il est joli, non ?

— Même les cochons sont jolis, quand ils sont petits.

— Tout ça, grâce à Seymour, dit Corbera. Nous n'aurions jamais vu ce terrier. Il était parfaitement camouflé.

— Le petit en était sorti, dit Beltrán Monasterio.

Il posa Lucca par terre en précisant :

— Il est enragé.

— Comment on va l'appeler ? demanda Beltrán.

— Vous le voulez, monsieur ? demanda Corbera.

— Je ne sais pas, dit Larch.

— Prenez-le. Ces enfants donnent de très bons résultats.

— Et si je lui donnais mon nom ? dit Beltrán.

— Vous vous appelez comment ? s'enquit Larch.

— Beltrán Monasterio.

Larch étudiait Lucca. Le petit était aussi maigre que certains coruros à la fin de l'hiver.

— Appelez-le comme vous voudrez.

Corbera essayait de lui donner des détails sur ce qui était arrivé à Seymour. Larch ne souffla mot. Corbera répéta sa version, mais Larch lui tourna le dos et se mit en selle. Il pensa qu'il tuerait Corbera d'une balle si le chien ne s'en tirait pas. Puis il se demanda que faire de Seymour. Il décida de le laisser à la garde d'un homme jusqu'à son retour de Lackawana.

— Beltrán Monasterio, disait Beltrán Monasterio.

Il voulait que Lucca répète. Mais celui-ci semblait ne désirer qu'une chose, s'enfuir, si bien que Corbera le reprit sur son cheval. Ils se mirent en route et Lucca se cramponna à Corbera. Le dos du contremaître transmettait le pas du cheval. Il se souvint que cet homme avait été le premier à se précipiter sur le terrier. Puis le remords l'envahit. Juste avant qu'il ne s'échappe, Isabela avait réussi à saisir la corde qu'il portait au cou. "J'ai soif", avait-il dit à sa sœur. Puis il avait plongé dans le goulet. Il s'était débarrassé de la corde pendant qu'il courait vers le ruisseau. Avec ce collier, sa sœur pouvait facilement l'attraper. La nuit précédente, pendant que Tatesh proposait de les cacher, ils jouaient dehors. Leur jeu était le suivant : Lucca arrivait à quatre pattes, conduit par Isabela, et Jaro les recevait sur la passerelle. Jaro était le capitaine du *Spectre*. Isabela était la veuve. "C'est votre fils, madame Dobson ?" demandait Jaro, tandis qu'elle tirait sur la laisse. "Nooô, capitaine, c'est mon chien", disait Isabela. Après, Lucca avait gardé la corde autour de son cou.

— Ils étaient combien dans le trou ? demandait Beltrán Monasterio.

Il ne reçut pas de réponse. Il répéta, sur le ton de quelqu'un qui est prêt à prendre les paris :

— Combien ?

Comme personne ne répondait, Beltrán affirma :

— Au moins deux cents.

Ils ne se donnèrent pas le mal de discuter davantage. Ils contournaient un bois tapissé de branches tombées, car ils ne souhaitaient pas y pénétrer. Les branches pouvaient céder si on y touchait. Des draperies de lichen gris pendaient des arbres. On eût dit un bois qui avait émergé d'un souterrain.

Beltrán Monasterio dit :

— Le petit s'endort.

Mais Corbera sentit qu'il se cramponnait fermement. Ils gravirent une longue pente, du haut de laquelle ils aperçurent l'océan. Un couple de vautours marins piquait sur les vagues et frôlait les crêtes de leurs ailes. Ces oiseaux se gavaient de baleines mortes et devaient fréquemment vomir leur nourriture pour se déployer de nouveau.

— Vous savez comment ces gens-là mangent leur soupe ? demandait Beltrán Monasterio.

— Non.

— Ils se couchent par terre et lapent le plat.

Lucca pleurait. Il venait de se rappeler le chien. De la bave pendait de sa gueule. Il se débattait pour s'enfoncer dans le terrier, mais cet homme le tenait ferme. L'homme semblait sur le point d'être entraîné. Finalement, il lui avait donné quelques centimètres de mou et le chien avait plongé la tête dedans. Lucca pensait à la terreur d'Isabela en apercevant la gueule du chien. C'était pour cela qu'il pleurait.

Ils débouchèrent sur la mer par un petit bois aussi joli que la forêt de Codford St Peter. Il manquait peut-être un hameau à l'horizon, ou un monastère perdu dans la brume. Puis venait une longue prairie. Larch reconnut plusieurs plantes : *scurby grass* et *wild parsnip*, et des touffes de céleri sauvage que son cheval essayait de brouter. Ce n'était déjà plus la flore de Codford. La tempête tourmentait le paysage et même les plus gracieux arbustes avaient un air lugubre.

Mais le temps sembla vouloir changer au moment où ils arrivaient à la mer. A l'est le ciel se dégageait et la bruine s'arrêta. En se fragmentant, le brouillard laissa voir la baie. Sous un cercle de brume apparaissait l'îlot Grappler. Mais le plus beau spectacle, ce furent les Parrikens qui couraient sur la mer à sec. Il les suivit avec ses jumelles. Ils venaient de l'autre côté de la baie et suivaient le chemin exact pour gagner Grappler. Larch était radieux, comme un pilote de haute mer qui navigue en se fiant à ses calculs et qui, un beau matin, alors que personne n'y croit plus, voit surgir au loin l'île qu'il cherchait, juste à l'endroit où il s'attendait à la trouver.

La brume avait failli l'avoir. Par un temps pareil, il était difficile d'arriver jusqu'à l'îlot Grappler. Mais les Parrikens étaient là. Au loin, un feu de bois vert annonçait la nouvelle à l'Anglais. Il braqua ses jumelles et vit que les Parrikens faisaient halte. Eux aussi contemplaient la fumée, sans en deviner le sens. Ils ne devaient pas bien entendre les aboiements, mais ils avaient découvert les cavaliers de Crosbie sur la plage. Larch dirigea ses jumelles sur Cypress Swamp. C'était par là que devaient déboucher les chiens. Les Parrikens restaient immobiles, enfin conscients de leur erreur néfaste. Maintenant, oui, les aboiements résonnaient dans la baie.

Larch ne ressentait aucune sympathie pour ces animaux névrotiques. "Ce sont des chiens que l'on a rendus très méchants", lui avait dit le vendeur d'Angus & Mason, tandis qu'ils réglaient les derniers détails de leur embarquement pour l'Amérique du Sud. De son bureau de Tilbury Dock, le commis les regardait avec dégoût. Il venait d'une famille qui, de génération en génération, avait mesuré, pesé et humé la moindre marchandise qui franchissait la douane. Ses frères décidaient encore de la qualité de chaque morceau de cannelle qui arrivait par la Tamise. Pour sa part, il s'était spécialisé dans les ivoires et pouvait juger d'un coup d'œil si une défense avait été remplie de cailloux. Mais il n'avait jamais eu à s'occuper d'une livraison de chiens.

L'homme d'Angus & Mason disait : "Ils sont vindicatifs aussi. C'est une autre de leurs qualités. Ils ont des visions et se croient continuellement agressés. Ne commettez pas l'erreur de les nourrir, car vous tueriez leur passion pour la chasse. Mettez-les régulièrement devant un mannequin bien barbouillé de tripes fraîches. Attention : retenez-les quand ils veulent se jeter dessus, car il faut les contrarier. C'est le seul moyen d'accroître leur haine du mannequin. Mais ne relâchez jamais votre vigilance. Le jour où vous y penserez le moins, ils vous arracheront une main."

Sur l'île, il avait cessé de les voir. Il avait su que les chiens étaient lâchés périodiquement et qu'ils revenaient couverts de sang. Personne n'en savait beaucoup plus, mais des histoires circulaient. Un jour qu'il passait par Quatermaster, Larch s'était enquis d'eux. "Ils ne sont bons qu'à chasser les lapins", avait craché le contremaître avec mépris. Quelqu'un avait fait une grimace entendue en direction de la cage d'El Bobo, lequel semblait s'être rempli abondamment la panse et, l'air satisfait, se disposait à faire la sieste. Cela pouvait venir d'un festin de coruros comme d'avoir attaqué deux écoliers sur le chemin.

Mais les produits d'Angus & Mason avaient perdu la paix. Pour s'en rendre compte, il suffisait de passer, la nuit, près des chenils. Ils faisaient des cauchemars et hurlaient, impressionnés par n'importe quoi d'insignifiant, un léger cri d'oiseau par exemple. Les hommes de Corbera imitaient leurs gémissements en prenant le même ton dolent qu'eux et ces chiens semblaient sur le point de pleurer. On s'en amusait beaucoup à Quatermaster, mais Larch soupçonnait que la vie des ces bêtes était devenue un enfer.

A Great Dismal, à trois miles de sa maison, il y avait un endroit où travaillait son père.

Régulièrement, son père l'emmenait. Les chiens dormaient sous un bouquet d'arbres. Au bout du jardin on voyait des chenils luxueux avec un dallage blanc et noir. Des cuisines arrivait soudain l'odeur du repas et les chiens du chenil levaient la tête. A sa première visite, son père lui avait amené un chien de petite taille. "Il s'appelle Seymour, lui avait-il dit. Un jour, il a battu un cheval à la course." Le chien fourra son museau entre ses paumes. Son père connaissait chaque chien par son nom et il leur parlait tout le temps quand il les promenait en laisse. Il lui avait dit : "Je n'ai jamais vu un chien qui ait autant de caractère. Il peut passer l'après-midi entière à côté d'un renard sans le toucher." Seymour aimait rester avec lui. Larch décida sur-le-champ que tous les chiens qui passeraient dans sa vie porteraient ce nom.

Les chiens de Cuba firent enfin irruption sur la plage. En flairant leurs proies, ils se mirent à aboyer. Leur poil était hérissé sur leur échine et même leurs maîtres eurent peur. Dans le passé, les Anglais leur faisaient affronter des sangliers et des taureaux. C'était avec ce genre de chiens que l'on avait réprimé un soulèvement de Noirs à Cuba. Ils étaient un croisement de dogue et de braque jamaïcains, la combinaison la plus malfaisante que l'on pouvait imaginer.

Les Parrikens s'étaient regroupés. Larch décida de resserrer le cercle. "Voilà Modestino qui arrive !" cria Corbera avec enthousiasme. Modestino Lucero galopait à la tête de trente cavaliers. Les hommes de Quatermaster les saluèrent par des salves tirées en l'air.

Larch sangla bien son cheval. Il monta sans se presser et Corbera lui tendit sa Winchester. Puis ils descendirent vers la plage. Le sol affleurait entre les flaques. Il y avait aussi des canaux profonds. De temps en temps, un bateau s'y aventurait. Ces canaux rendaient difficile le retour de Grappler quand la baie était à sec. Il n'y avait qu'un chemin possible et c'était là que se trouvaient maintenant les chiens. Mais le retour du jusant était encore loin. En général, les Parrikens, quand ils atteignaient l'îlot, n'en repartaient que le lendemain. Larch se demandait ce qu'ils allaient faire maintenant. Ils pouvaient continuer jusqu'à l'îlot ou revenir vers la plage. En réalité, c'était du pareil au même. Rien ne pouvait plus changer le cours des événements.

Au loin, dans les nuages, on apercevait les sommets de Talbot Island, connue également sous le nom d'île de la Femme. Larch prit plaisir au spectacle, tout en pensant à ce nom que lui donnaient les Parrikens. Selon Corbera, c'était le lieu dont ils rêvaient, l'île en forme de femme couchée où ils ne retournaient qu'après la mort.

Camilena se laissa tomber sur le sol. Plusieurs heures s'étaient écoulées. Tout en se massant les jambes, elle contemplait le déploiement des siens. Tous se reflétaient dans les flaques. Tatesh allait de l'un à l'autre, en essayant de les maintenir en ordre. Mais ils n'avaient qu'un fusil pour six hommes.

La femme de Kamen la rejoignit pour l'interroger encore une fois à propos des enfants. Camilena ne répondit pas. Elle toucha le coquillage transparent qui pendait sur sa poitrine. C'était un cadeau de Jaro.

Pour le moment, il ne se passait rien. Sur la côte, les cavaliers avient mis pied à terre et les chiens s'étaient tus. La femme de Kamen lui raconta que les éleveurs de moutons l'avaient obligée un jour à se baigner dans la rivière. Ces hommes portaient toujours sur leur cheval une brosse exprès pour ça. Elle s'était frottée avec force, jusqu'à ce que la graisse disparaisse de son corps. Les éleveurs de moutons détestaient la graisse de phoque, et il fallait en ôter toute trace pour avoir des relations avec eux. Elle était sûre qu'ils allaient les forcer à se brosser, cette fois encore. Camilena éclata d'un rire qui signifiait : quant ils auront lâché les chiens, nous n'aurons plus besoin de nous laver.

Il y avait des rochers dénudés que les mouettes avaient l'habitude de bombarder avec les moules qu'elles lâchaient d'en haut. Les mouettes étaient des milliers et les coques faisaient un bruit de grêle en s'écrasant sur leur cible. Mais cette fois les rochers étaient déserts, de même que l'îlot, là-bas. Sur le sable gisaient des écheveaux de cachiyuyos qui éclataient quand on marchait dessus. Un phoque grisâtre apparut, surpris par le reflux.

Camilena se souvint que sa mère était morte pendant les marées de juin. Elle disait toujours que les malades ne s'en allaient qu'avec le reflux. Tatesh la regardait de loin. C'était étrange de la voir parler avec sa commère, alors que le monde s'écroulait. Une fois, tandis qu'ils fuyaient une goélette, Tatesh avait pensé qu'il ne la verrait jamais se rendre. Ils filaient sur les canaux, les chasseurs de phoques à leurs trousses : au moment où ils semblaient perdus, Camilena avait viré en direction de la côte. Ils venaient de contourner une pointe et, pendant quelques instants, leurs poursuivants étaient restés hors de leur vue. Puis ils avaient sauté à terre et s'étaient précipités dans la végétation en portant le canoë. C'était un marécage impénétrable et les premiers mètres avaient été terribles mais, très vite, ils avaient pu se mettre à courir sans à-coups sur un sentier de portage. C'était un passage secret que les Canoeras utilisaient pour traverser la péninsule. Ils avaient pensé tous deux à la stupéfaction des chasseurs de phoques en les voyant s'évaporer et ils s'étaient beaucoup divertis à cette idée.

L'eau avait commencé à remonter. Près de l'îlot le sol se transformait en éponge. Un filet d'eau se forma lentement sur le sol pierreux. Il passa entre des rochers marqués par d'anciens cataclysmes et alla s'unir à un autre mince filet. Un peu plus loin, aux limites de la baie, les vagues changeaient de sens et prenaient la direction de la terre. La mer se préparait à revenir. Mais il fallait encore attendre pour que le flot prenne de la vitesse et qu'arrive ce grondement qui inquiétait les animaux de la côte et apeurait les cachalots qui croisaient à distance, là où l'océan était profond et occasionnellement calme.

Les chiens recommençaient à aboyer. Quand Camilena vit que le sol s'imprégnait sous ses pieds, elle décida que le moment était venu de se joindre à son mari.

Ils allaient se battre et ils perdraient. Jamais ils n'atteindraient l'îlot. Maintenant le soleil étincelait sur son plus haut rocher. Tatesh leur avait raconté un jour qu'ils avaient l'habitude de s'asseoir là avec son père et qu'ils n'en bougeaient plus jusqu'à la tombée de la nuit, quand le soleil entrait dans la mer avec le crépitement d'un tronc en flammes. Alors Camilena avait promis à ses enfants que, dès qu'ils auraient atteint l'îlot, ils se posteraient sur le promontoire des phoques pour contempler la fin du jour et écouter la plainte du soleil quand il s'éteint dans l'eau.

XI

LE LIÈVRE DE MARS

Joaquín Palabra

Il y avait quelque chose sur la plage.

— C'est une baleine ? demanda Federica.

— C'est la coque du *Guateyca*, dit le docteur.

— Celui qui a apporté le *vomito negro*.

— C'est ça.

— Ils sont tous morts, à bord ?

— Non. Il s'est échoué bien après l'épidémie.

— Alors c'est quand il transportait la compagnie de théâtre.

— Oui. Justement, le capitaine avait quitté le pont parce qu'ils lui donnaient une fête. Et l'homme de barre s'est payé la côte.

— Et à Sandy Point, ils ont dû se passer de *Tosca*.

Federica et son père avaient été les premiers à sortir sur le pont. Puis vint un prêtre, suivi de près par une femme qui portait un chien dans les bras. Ils occupèrent les chaises longues voisines et cela mit fin à la conversation. Le docteur et le prêtre affectaient de s'ignorer. La femme semblait préoccupée et essaya de parler avec le docteur, mais celui-ci ne pensait qu'à trouver la manière d'accrocher le prêtre. Pendant ce temps, le chien répondait par des grondements aux avances de Federica. C'était un chien de Lima typique, du genre qui souffre du foie, est continuellement irrité et vit dans les jupes d'une femme.

La côte était couverte d'oiseaux, comme à la veille d'un ouragan. C'était un spectacle pénible pour les passagers d'un bateau qui se dirigeait vers la haute mer, mais personne ne s'en souciait vraiment et le pont était maintenant plein de candidats à la salle à manger. Après l'escale de Río Agrio, tout le monde semblait revigoré. Un bon air marin circulait, le bateau naviguait droit et il n'y avait plus de raisons de rester cloîtré. La femme serrait son chien d'un air méfiant.

Le docteur n'écoutait plus sa fille. Il essayait de transmettre au prêtre qu'il ne supportait pas sa présence, qu'il connaissait tous ses vices et qu'il ne se laisserait pas leurrer. Mais, en l'observant à la dérobée, il se sentit déprimé. Il contempla la côte lointaine. Les oiseaux avaient disparu, de même que le bateau échoué sur la plage.

Cependant le père Lorenzo, en bon politique, flairait l'hostilité de loin. En d'autres circonstances, il aurait accepté le défi. Il identifiait vite ses ennemis et, quand il le fallait, il montait au combat avec la ténacité d'un évêque. Mais pour l'heure il avait sommeil, il était vieux et le bateau commençait à remuer, avec ce dandinement de l'arrière qui l'expédiait rapidement dans sa cabine. Il resta encore un moment sur le pont, fasciné par la vue de l'île sous les derniers rayons du soleil. Il avait vécu là trente ans. Il ferma brièvement les yeux. Il ressemblait maintenant à un prêtre satisfait en train de dormir. N'importe qui aurait dit qu'il combinait son affectation dans une paroisse plus prospère ou qu'il rêvait à un presbytère de la taille de celui de l'évêque de Córdoba. Mais le prêtre pensait seulement à une petite chapelle, solide comme un hangar, construite sur les collines avec la charpente d'un cargo naufragé.

Puis il eut une quinte de toux. "Aucun cœur ne peut résister à une toux pareille", se dit le docteur. Il l'aida à se redresser avec un sourire. Le père Lorenzo le remerciait à travers ses larmes. "Il a de l'asthme, du diabète et il souffre du cœur, pensait le docteur. Les rhumatismes lui bouffent déjà les viscères. Etonnant qu'il tienne encore debout." Il allait sûrement lui donner beaucoup de souci au cours du voyage. "Mais je descends à Sandy Point et il continuera sans médecin. Il aura de la chance s'il arrive vivant à Buenos Aires." Il admit que ce n'était peut-être pas le genre de curé à rêver d'un presbytère grand comme l'archevêché de Córdoba. Le père Lorenzo l'avait calmé avec son célèbre sourire. La femme au petit chien pensait : "Un homme qui a ce visage doit être un saint."

De tous les passagers qui se trouvaient sur le pont, elle était la plus ancienne. Elle voyageait sur des transatlantiques depuis l'âge de six ans : une photo jaunie la montrait dans la salle des enfants du *Cordillère*, en plein cotillon, fêtant son anniversaire. Mais ce voyage était le premier qu'elle faisait en Amérique australe. En voyant passer un homme d'équipage qui allait à la cuisine, un quartier de bœuf sur le dos, ses yeux reflétèrent la nostalgie des vieilles croisières sur le *Winchester Castle*. Elle se leva sans enthousiasme et prit la direction de la salle à manger. Le père Lorenzo la suivit du regard et sourit encore une fois.

"Il vient d'être mis à la retraite, devinait le docteur. Il a fini par lasser l'évêque avec sa mission de pacotille." Il aurait au moins mérité que son orphéon enfantin vienne saluer son départ. Mais, sur le quai, il n'y avait qu'un seul Parriken. Quelles étaient les pensées de ce malheureux, tandis qu'il regardait le bateau ? Il l'oubliera probablement très vite, pensa le docteur. Un jour peut-être, en soufflant désespérément sur une flamme, les os transpercés par le froid de la neige, il aura l'idée de murmurer "Mon doux Jésus" ou de se signer d'un geste rapide, désolé de ne pas retrouver la formule qui lui permette d'avoir un pot de maté bouilli comme ceux que leur servait le vieil homme après la communion.

Le prêtre se levait. "Il boite", constata le docteur. Sa manie de faire des diagnostics était presque un sport. Un homme en sueur : hypotension. Un visage blême : maladie de cœur. Ce prêtre boitait. Peut-être avait-il le genou ankylosé. Ou alors c'était la douleur qui le faisait claudiquer.

— Papa…
— Allons manger.
— Une dernière question.
— D'accord.
— Où avons-nous enterré Erasmo ?

La question le prit par surprise. Il eut un léger frisson. Ils ne l'avaient pas enterré. Un instant, dans le style de Dobson, il faillit lui inventer un destin meilleur. En réalité, il n'avait pas pu lui donner de sépulture. La mort d'Erasmo était très mal tombée, presque au départ du bateau.

— Je l'ai mis dans un arbre creux, avoua-t-il.

Il y eut un silence interminable. Le docteur tenta de se justifier. Au début de l'épidémie, il avait vu un couple de Canaliens qui déposaient le cadavre de leur enfant dans leur canoë et donnaient ensuite une poussée à celui-ci pour le laisser filer avec le reflux. Il le raconta à Federica, mais elle ne broncha pas. Le docteur crut découvrir sur le visage de sa fille, mi-horrifié, mi-émerveillé, qu'elle voulait en rester au temps des contes de fées. Il attendit une de ses classiques interruptions. Elle resta impénétrable jusqu'à la fin du repas.

Dans la salle à manger, ils virent la veuve. Le docteur s'en réjouit. Elle était avec le père Lorenzo et la femme au chien de Lima.

Federica léchait sa glace. Il en profita pour l'observer tout à loisir. Un piano doucereux atténuait le bruit des machines. Le pianiste semblait sur le point de vomir. Puis arriva le café et Federica insista pour le servir. Le docteur la revit près de sa mère en train de jouer avec une vieille théière. Il pensa aux histoires que tous deux racontaient à Federica. Il pensa à Alice et au Lièvre de Mars, à Moitié-de-Poulet et à Belle-Comme-le-Jour. Puis il regarda par le hublot, jusqu'à ce que des applaudissements viennent à son secours.

Le pianiste avait terminé et un steward qui passait s'était exclamé : "Bravo, maestro !" tout en applaudissant avec enthousiasme. Le geste plut à Federica. Elle se dit qu'ils étaient peut-être des amis et que l'homme admirait le pianiste. L'homme pensait peut-être que son ami méritait mieux que de jouer du piano sur un bateau. La veuve battit des mains avec ennui. Le pianiste salua dignement et se remit à jouer pour elle seule. Au bout d'un moment, ses doigts se délièrent. Quand il la voyait porter son verre à ses lèvres, il avait envie de la couvrir de baisers et de la faire rêver avec son piano.

Mais elle rêva qu'elle faisait du beurre. C'était à peine deux heures plus tard, tandis que le bateau réduisait sa vitesse en entrant dans la brume. Elle ouvrit fugacement les yeux et poursuivit son rêve. Elle était devant une table de marbre, un couteau d'ivoire à la main. La nuit s'achevait et c'était l'heure parfaite pour procéder à l'écrémage. Le lait avait une teinte bleutée, qui venait des ajoncs fleuris que les vaches broutaient à la fin de l'été. Elle connaissait la vache qui donnait ce lait et aimait caresser son poil lustré pendant que sa grand-mère la trayait.

Elle pouvait maintenant voir distinctement les branches des pommiers. Les arbres étaient couverts de fruits qui mûrissaient en juillet. Leurs pommes avaient la peau dure, légèrement plus rouge du côté du soleil. Puis venaient les vieux pommiers et, ensuite, les arbustes aux fruits presque violets avec une chair très ferme, que l'on mangeait en mai.

Elle passa proprement le couteau et la crème se détacha sans une goutte de lait. Puis elle la versa dans une jatte en bois, en attendant que le moment soit venu de la baratter. Ecrémer le lait était une opération délicate. Il y avait d'autres moments cruciaux qu'elle n'oublierait jamais. Il fallait que les vaches n'aient pas couru, que le lait soit fraîchement trait et qu'on le laisse convenablement reposer. Elle avait rempli toutes les conditions pour faire un bon beurre et elle pouvait prendre un instant pour respirer. Les porcs du voisin festoyaient goulûment sous les chênes verts. Ils avaient traversé la haie pour la dixième fois de la journée à la recherche des glands sucrés. Les glands de chênes verts étaient savoureux et tendres et ils engraissaient les porcs du voisin comme rien d'autre au monde.

Elle fermait les volets. La fenêtre donnait au nord-est et, en été, tout restait bien au frais de manière que la crème remonte sans que le lait tourne. En août l'endroit était délicieux, il avait un toit de tuiles et un grenier sous la charpente. Après avoir séparé la crème, elle lavait les pots à lait et faisait le compte des bocaux de fruits. C'était le moment de descendre à la cave pour inspecter la forme à fromage.

Elle avait douze ans et n'avait jamais dépassé la colline de chênes verts, bien qu'on lui ait promis un voyage jusqu'au Wiltshire. Elle vivait à la ferme avec sa grand-mère depuis la mort de son père. En ce temps-là, à part les porcs du voisin, les seules menaces étaient les gelées tardives et les larves hivernales qui dévoraient les bois d'Abingdon.

Et puis soudain son rêve tourna mal. Elle se réveilla, le cœur battant la chamade, par la faute des porcs de son voisin. Pendant quelques instants elle ne sut pas si elle était vraiment réveillée. Elle aurait étranglé sans pitié cet hypocrite qui était venue la regarder à travers la haie pendant que ses cochons se gavaient de glands. Tatesh aussi avait débarqué dans son rêve : il arrachait les navets de son ennemi. Camilena, de son côté, faisait la cour au voisin avec des gâteaux tout juste sortis du four. C'en était trop pour la veuve, qui étouffa un rugissement de colère tout en ouvrant les yeux. Elle comprit qu'elle se trouvait sur un bateau dont les machines avaient stoppé. Elle était trempée de sueur. Elle éprouva le même soulagement qu'enfant, quand elle se réveillait au milieu d'un cauchemar : ses sœurs avaient tué un homme et elles devaient cacher le corps.

En revanche ce rêve-là avait été un rêve réaliste et ce n'était qu'à la fin que les choses s'étaient gâtées. Elle avait eu du plaisir à battre la crème dorée, ce qui indiquait la fin du mauvais temps de la crème pâle d'hiver. Elle était allée dans la cave vérifier ce fromage onctueux et blême qui ne se mange que quand il semble déjà trop fait. Puis, dans un éclair, elle s'était vue elle-même sur la côte d'Abingdon.

Un soir, son mari revenait à la rame en direction de la plage. Elle l'attendait sur le môle, sous la caresse du soleil. Des moutons paissaient sur le rivage et les pies jacassaient dans le bois. Le vent tombait. Pour que le tableau soit parfait, seul manquait l'archevêque dans le canot à côté de son mari. Dans son dos, sur chaque lopin de terre, les Canoeros binaient leurs radis. Dans l'école du dimanche, les enfants chantaient et, du bois, montait le bourdonnement de la scierie.

Un bon rêve, un rêve réaliste.

La veuve étreignit son oreiller. Tandis qu'elle attendait que le bateau reparte, elle pensa qu'elle ne pourrait dormir sans le bruit des machines. Là-dessus elles se remirent en marche, elle finit par se rendormir et tout sombra dans le néant.

Le bateau avait stoppé à minuit. Il y eut un profond silence et, très vite, on entendit les bruits que l'on n'entend jamais pendant sa marche : voix lointaines, légers grincements. Quelqu'un rit. Un homme réclama une lanterne. On avait coupé la lumière. Dans ce calme, l'odeur de renfermé empirait. La mer semblait sereine. Soudain, il y eut un tumulte. Les hommes de la cuisine criaient et les passagers réveillés s'agitèrent.

— Tu as entendu ? chuchota Federica.

— Ils ont dû voir un rat, dit son père.

Ils lui donnaient la chasse à la lueur d'une lanterne. Ils s'amusaient comme des fous.

— Pauvre petite bête, murmura-t-elle.

— Ils se distraient comme ils peuvent.

— Je ne pourrais pas vivre à bord. C'est tous les jours pareil.

— Demain, nous irons sur le pont avec un livre.

— D'accord. Mais il faudra prendre des couvertures.

— Peut-être qu'on croisera le *Caleuche*.

— C'est quoi, le *Caleuche* ?

— Un bateau mené par des idiots sans mémoire.

— Le nôtre s'appelle le *Delight of Bristol*.

— Oui. Mais c'est un bateau comme les autres.

— Tandis que le *Caleuche* vient de l'océan Ronfleur.

— Et quand ils n'ont plus de charbon, ils mettent des pingouins dans la chaudière.

Ils bavardaient à minuit dans le bateau encalminé. Le docteur pensa à divers endroits du navire, imagina la solitude du salon et se rappela la cabine décorée par Waring & Gillow qu'il avait visitée lors d'une incursion dans les premières.

— Tu crois que le *Vol-au-vent financière* est bon ? demanda Federica.

— On pourra en commander demain.

— Il y a de la sauce à la menthe.

— Vraiment ?

— C'est ce que dit la carte.

— Dans ce cas, très peu pour moi.

— Ça me donne faim.

— Il y a des biscuits sur la table.

Sa fille sauta du lit, prit les biscuits et s'installa à côté de lui, la boîte entre les genoux. Elle se mit à parler du collège, tandis que le docteur respirait l'odeur des cheveux bien lavés et très fins qui lui couvraient le dos.

Il pensa que, demain, il serait de retour à son travail. Peut-être que, dans la nuit, un bateau viendrait relâcher et qu'il devrait se lever pour le recevoir. Il était le seul docteur de Sandy Point et faisait également office de médecin du port. Il pria pour que ne souffle pas de vent du sud-est. Il fallait se rendre au bateau en canot. L'ascension était difficile. On devait d'abord demander d'en bas s'il n'y avait pas de malades à bord, mais personne ne voulait en rester là. La plupart du temps il pleuvait, et cela se passait souvent de nuit. Puis venait le retour sur le quai branlant. Federica serait déjà repartie pour Valparaíso. Il pensa au chemin de l'hôtel sur la neige boueuse et, à ce moment-là, la lumière clignota et le bateau se remit en marche. De sorte que Federica grimpa sur sa couchette et que le docteur se désola de son départ.

C'était l'un des rares moments de bonheur qu'ils avaient eus cet été-là.

Dans le gaillard d'avant, la panne d'électricité fut accueillie avec plus de décence qu'à la cuisine. Des matelots jouaient aux cartes. Il y avait une longue table. Les matelots se tenaient à un bout et l'homme qu'on avait recueilli sur la côte, à l'autre. Il avait été logé dans le gaillard d'avant par permission spéciale. Le capitaine aimait embarquer ces vagabonds. Un naufragé à bord ajoutait du romantisme au voyage. Ils pouvaient même sortir sur le pont, à condition qu'ils sachent se tenir. Dans le cas présent cela se révélait impossible. La seule fois où Günther Clauss était descendu le voir, il n'avait même pas réussi à le regarder en face. Aussi, lorsque la coupure de courant s'était produite, il y avait eu un moment de soulagement. Les joueurs de cartes avaient laissé échapper un murmure. Pour un temps, ils éviteraient d'avoir devant eux le visage de cet homme et celui-ci ne verrait plus leurs efforts pour le fuir.

C'était Joaquín Palabra, l'unique survivant du *Talismán*. On disait que des Canoeros l'avaient laissé pour mort sur la plage. Pour l'heure il partageait son temps entre sa couchette et cette table. Un matelot du paquebot partageait sa cabine avec lui. Ils n'échangeaient jamais un mot. Le matelot essayait d'aller au lit quand Joaquín était déjà endormi. Souvent il le découvrait en train de parler, mais il n'en tirait jamais rien de clair. C'étaient des soliloques confus, des sanglots entrecoupés. Il était difficile de dire s'il délirait ou s'il dormait. Une chose était sûre : il passait son temps à discuter avec quelqu'un qui s'appelait Manuel. Sur la couchette du haut, rongé par l'angoisse, l'homme du bateau essayait de dormir la tête sous l'oreiller.

— *Chunchules a la parrilla* : des rognons blancs sur le gril, et un demi-pot de vin vert proposa Joaquín. Et une bouillie bien épaisse.

— Pour moi, ça sera un boudin, dit le patron.

— Et après ?

— Une bonne purée.

— Un dessert ?

— *Arrope, con uvas borrachas* : de la confiture, avec des raisins à l'alcool.

Sur un banc de la place, un dimanche matin. Tout était fermé.

— Quel jour de merde, murmura le patron.

— Je voulais t'emmener au marché. T'as goûté la dinde en daube avec du maïs ?

— On ferait mieux d'aller chez toi.

— Prenons par l'avenue. T'as vu cette petite plage, Manuel ? Quand on était petits, on venait s'y baigner.

— Vous ne vous baigniez pas la nuit ?

— On plongeait de ce rocher.

— En tenant Muchango dans les bras…

— Jamais. Muchango, c'est un de ces chiens dressés à sauver les noyés. Ils veulent tout de suite te sortir de l'eau.

— Et ton père passait sa vie à le fuir.

— Il était forcé de se baigner en cachette.

— Un vrai maniaque, cet animal.

— Papa pleurait de rage, chaque fois qu'il le tirait de l'eau.

— Qu'est-ce que t'as ?

— Rien. Je repense au passé.

— Arrête.

— Je ne dors presque plus. Je suis comme ça depuis le jour de l'anse du Nègre.

— Calme-toi.

— C'est la faute à ces Indiens. Je te dis qu'ils sont arrivés dans un canoë fait avec des os.

— C'est que des pauvres diables.

— T'es cinglé. Regarde comment ils m'ont arrangé.

— Laisse tomber, bon Dieu…

— Ils visent bien.

— Ils toucheraient pas un paquebot à dix mètres.

— T'as entendu leurs chiens, cette nuit ?

— Ils devaient être en train de les bouffer…

Joaquín sortit une photo.

— Je t'ai montré mon petit frère ?

C'était un enfant de trois ans qui semblait endormi mais gardait les yeux ouverts.

— Il est mort, dit Joaquín. Maman lui a mis du rouge sur les joues avant qu'on prenne la photo.

— Tu pourrais pas raconter autre chose que des tragédies ?

— Comment, des tragédies ? C'est pas du tout une tragédie.

— Je connais déjà par cœur toute l'opération de ton père.

— On n'a même pas pleuré. Maman lui a fait des ailes en papier et les a posées sur le lit. Elle disait que si on pleurait, ça mouillerait les ailes et que mon petit frère ne pourrait pas s'envoler au ciel.

Un peu plus loin, le patron s'arrêta :

— Qu'est-ce que t'as, encore ? demanda-t-il.

— Je ne sais pas. Je me sens très bien, et puis ça me retombe dessus.

— Tu recommences à soupirer.

— Ça me fait du bien, de soupirer.

— C'est assommant de t'entendre tout le temps te plaindre.

— C'est pas vrai.

— A côté de toi, la chatte Flora est un modèle de résignation.

— On arrive.

— C'est ça, ta maison ?

— Oui. Et la femme qui balaie, c'est ma mère.

— Et qui c'est, l'épouvantail ?

— Mon cousin Bernardo.

— Oh putain !

247

— Ne dis pas de mal de ma famille.

— C'est pas lui qui te sortait de ta voiture d'enfant ?

— Si. L'enfant de salaud me laissait par terre sur le trottoir pour aller promener le chat dedans. Tu savais qu'il a tété jusqu'à neuf ans ?

— Un vrai dégueulasse.

— Pendant qu'on lui donnait la tétée, il bouffait une tartine beurrée. Une coup de biberon, un coup de tartine.

— Bon. On va aller goûter à ce *tamasazo*.

— Ils sont sortis pour nous accueillir.

— Je file tout droit au figuier.

— Oh mon Dieu. Qu'est-ce qu'ils vont dire en voyant ma gueule ?

— Calme-toi.

— Ne raconte rien à maman…

— Promis.

— Je ne suis pas revenu depuis trois ans.

— Donne-toi un coup de peigne.

— On leur dit bonjour et on s'en va.

— Ne te dégonfle pas.

— Comme ça, je suis plus présentable ?

— Beaucoup plus.

— Donne-moi la main.

— Merde. Manquait plus que ça.

TABLE

B**A**BEL

Extrait du catalogue

COÉDITION ACTES SUD – LEMÉAC

Ouvrage réalisé
par l'atelier graphique Actes Sud.
Reproduit et achevé d'imprimer
en avril 2007
par Normandie Roto Impression s.a.s.
61250 Lonrai
pour le compte des éditions
Actes Sud
Le Méjan
Place Nina-Berberova
13200 Arles.

Dépôt légal
1re édition : mai 2007
N° imprimeur : 071047
(Imprimé en France)